普通高等教育"十一五"国家级规划教材

汉语口语速成

入门篇 上册
Threshold (Volume 1)

SHORT-TERM
SPOKEN CHINESE

第三版 3rd Edition

马箭飞 主编
苏英霞 翟 艳 编著

北京大学出版社
PEKING UNIVERSITY PRESS

图书在版编目(CIP)数据

汉语口语速成. 入门篇. 上册 / 马箭飞主编；苏英霞，翟艳编著. —北京：北京大学出版社，2015.8
（博雅对外汉语精品教材）

ISBN 978-7-301-25735-7

Ⅰ.①汉… Ⅱ.①马… ②苏… ③翟… Ⅲ.①汉语－口语－对外汉语教学－教材 Ⅳ.①H195.4

中国版本图书馆CIP数据核字 (2015) 第 085258 号

书　　　名	汉语口语速成（第三版）·入门篇（上册）
著作责任者	马箭飞 主编 苏英霞 翟 艳 编著
策　　　划	王 飙
责 任 编 辑	周 鹂
绘　　　图	潘弋妮
标 准 书 号	ISBN 978-7-301-25735-7
出 版 发 行	北京大学出版社
地　　　址	北京市海淀区成府路 205 号　100871
网　　　址	http://www.pup.cn　　　新浪微博：@北京大学出版社
电 子 信 箱	zpup@pup.cn
电　　　话	邮购部 62752015　发行部 62750672　编辑部 62752028
印 刷 者	北京大学印刷厂
经 销 者	新华书店
	787 毫米 × 1092 毫米　16开本　11.25 印张　226 千字
	2015 年 8 月第 1 版　2019 年 3 月第 6 次印刷
定　　　价	29.00 元

第三版出版说明

INTRODUCTION

　　《汉语口语速成》包含《入门篇》（上、下册）、《基础篇》（上、下册）、《提高篇》、《中级篇》、《高级篇》，是一套使用广泛的短期汉语口语教材。这套教材1999—2000年陆续由北京语言大学出版社出版，2005年修订再版了《入门篇》（上、下册）、《基础篇》、《提高篇》和《中级篇》。第三版由北京大学出版社出版。

　　《汉语口语速成》是一套备受欢迎的成熟教材，因此，第三版的修订，主要是修改或更换过时的内容。除此之外，由于《基础篇》篇幅较大，第三版改为上、下册；第二版没有修订《高级篇》，这次一并修订。

　　欢迎广大师生继续使用这套教材，并积极反馈教学意见，以便我们将来继续打磨这套精品教材。

北京大学出版社

汉语及语言学编辑部

2015年6月

前 言

PREFACE

　　《汉语口语速成》是为短期来华留学生编写的，以培养学生口语交际技能为主的一套系列课本。全套课本共分 7 册，分别适应具有"汉语水平等级标准"初、中、高三级五个水平的留学生的短期学习需求。

　　编写这样一套系列课本主要基于以下几点考虑：

　　1. 短期来华留学生具有多水平、多等级的特点，仅仅按初、中、高三个程度编写教材不能完全满足学生的学习需求和短期教学的需求，细化教学内容、细分教材等级，并且使教材形成纵向系列和横向阶段的有机结合，才能使教材具有更强的适应性和针对性。

　　2. 短期教学的短期特点和时间上高度集中的特点，要求我们在教学上要有所侧重，在内容上要有所取舍，不必面面俱到，所以短期教学的重点并不是语言知识的系统把握和全面了解，而是要注重听说交际技能的训练。这套课本就是围绕这一目的进行编写的。

　　3. 短期教学要充分考虑到教学的实用性和时效性，要优选与学生日常生活、学习、交际等方面的活动有直接联系的话题、功能和语言要素进行教学，并且要尽量使学生在每一个单位教学时间里都能及时地看到自己的学习效果。因此，我们试图吸收任务教学法的一些经验，力求每一课内容都能让学生掌握并应用一项或几项交际项目，学会交际中所应使用的基本话语和规则，从而顺利地完成交际活动。

　　4. 教材应当把教师在教学中的一些好经验、好方法充分体现出来。在提供一系列学习和操练内容的同时，还应当在教学思路、教学技巧上给使用者以启示。参与这套教材编写的人员都是有多年教学经验，并且在教学上有所创新的青年教师，他们中有多人都曾获得过校内外的多个教学奖项。我们希望这套教材能够反映他们在课堂教学上的一些想法，与同行进行交流。

　　5. 编写本套教材时，我们力求在语料选取、练习形式等方面有所突破。尽量选取并加工真实语料，增加交际性练习内容，使用图片、实物图示等手段丰富教材信息，增加交际实感，体现真实、生动、活泼的特点。

　　《汉语口语速成》系列课本包括《入门篇》（上、下册）、《基础篇》（上、下册）、《提高篇》、《中级篇》、《高级篇》7 本。

1. 入门篇（上、下册）

适合零起点和初学者学习。两册共 30 课，1—5 课为语音部分，自成系统，供使用者选用。6—30 课为主课文，涉及词汇语法大纲中最常用的词汇、句型和日常生活、学习等交际活动中最基本的交际项目。

2. 基础篇（上、下册）

适合具有初步听说能力，掌握汉语简单句型和 800 个左右词汇的学习者学习。两册共 25 课，涉及大纲中以乙级词汇为主的常用词、汉语特殊句式、复句以及日常生活、学习、社交等交际活动的简单交际项目。

3. 提高篇

适合具有基本的听说能力，掌握汉语一般句式和主要复句、特殊句式及 1500 个词汇的学习者学习。共 25 课，涉及以重点词汇为主的乙级和丙级语法内容和词汇；涉及生活、学习、社交、工作等交际活动的一般性交际项目。

4. 中级篇

适合具有一般的听说能力，掌握 2500 个以上汉语词汇以及一般性汉语语法内容的学习者学习。共 14 课，涉及以口语特殊格式、具有篇章功能的特殊词汇为主的丙级与丁级语法和词汇以及基本的汉语语篇框架；涉及生活、学习、工作、社会文化等方面较复杂的交际项目。

5. 高级篇

适合具有较好的听说能力，掌握 3500 个以上汉语词汇，在语言表达的流利程度、得体性、复杂程度等方面具有初步水平的学习者学习。共 20 课，涉及大纲中丁级语法项目和社会文化、专业工作等内容的复杂交际项目，注重训练学习者综合表达自己的态度见解和分析评判事情的能力。

《汉语口语速成》系列课本适合以 6 周及 6 周以下为教学周期的各等级短期班的教学使用，同时也可以作为一般进修教学的口语技能课教材和自学教材使用。

编者
1999 年 5 月

简称表

ABBREVIATIONS

名词	míngcí	名	noun
动词	dòngcí	动	verb
助动词	zhùdòngcí	助动	auxiliary verb
形容词	xíngróngcí	形	adjective
代词	dàicí	代	pronoun
数词	shùcí	数	numeral
量词	liàngcí	量	measure word
数量词	shùliàngcí	数量	quantifier
副词	fùcí	副	adverb
连词	liáncí	连	conjunction
介词	jiècí	介	preposition
助词	zhùcí	助	particle
叹词	tàncí	叹	interjection
专有名词	zhuānyǒu míngcí	专名	proper noun

目 录

CONTENTS

语音 PHONETICS

1 韵母 Finals

a	o	e	er	i	-i (zi)	-i (zhi)	u	ü
ai	ei	ao	ou	an	en	ang	eng	ong
ia	ie	iao	iou (iu)	ian	in	iang	ing	iong
ua	uo	uai	uei (ui)	uan	uen (un)	uang	ueng	
üe	üan	ün						

2 声母 Initials

b	p	m	f	d	t	n	l
g	k	h		j	q	x	
zh	ch	sh	r	z	c	s	

语音注释　PHONETICS EXPLANATION

1. 声母和韵母 Initials and finals

汉语的音节绝大多数由声母和韵母组成。音节开头的辅音叫声母，其余部分叫韵母。

A Chinese syllable is usually composed of an initial and a final. The former is a consonant that begins the syllable and the latter is the rest of the syllable.

2. 声调 Tones

声调是音节的音高变化。汉语普通话有四个基本声调，分别为第一声（-）、第二声（ˊ）、第三声（ˇ）、第四声（ˋ）。声调不同，意思就不一样。

Tones are changes of pitch of syllables. In the standard Chinese there are four basic tones, represented respectively by the following tone-graphs: the first tone (-), the second tone (ˊ), the third tone (ˇ) and the fourth tone (ˋ). When a syllable is pronounced in different tones, it has different meanings.

3. 声调位置 Tone position

一个音节只有一个元音时，声调符号标在元音上；有两个或两个以上的元音时，声调标在主要元音（即响度大的元音）上。例如：mā、hǎo、zuò。元音 i 上有声调符号时，要去掉 i 上的小点儿。例如：mì、jǐng。i、u 并列时，声调标在后面的字母上。例如：liú、guǐ。

When a syllable contains a single vowel only, the tone-mark is placed above the vowel sound. When a syllable contains two or more vowels, the tone-mark should be placed above the main vowel (the one pronounced more loudly and clearly), e.g. "mā", "hǎo", "zuò". When a tone-mark is placed above the vowel "i", the dot over it should be omitted, e.g. "mì", "jǐng". When "iu" or "ui" comes, the tone-mark should be placed above the terminal vowel, e.g. "liú", "guǐ".

4. 轻声 Neutral tone

普通话里有一些音节在一定的条件下失去原调，读得又轻又短，叫作轻声。轻声不标调号。例如：xièxie、bú kèqi。

In standard Chinese pronunciation, there are a number of syllables that lose their original tones and are pronounced soft and short. This is known as the neutral tone which is identified by the absence of a tone mark, e.g. "xièxie", "bú kèqi".

5. 变调 Tone changes

（1）两个第三声音节连在一起时，前一个要读成第二声。例如：nǐ hǎo → ní hǎo（你好）。

A third tone, when immediately followed by another third tone, should be pronounced in the second tone, e.g. nǐ hǎo → ní hǎo（你好）.

（2）第三声音节在第一、二、四声和大部分轻声音节前边时，要变成"半三声"。"半三声"就是只读原来第三声的前一半降调。例如：nǐmen → nˇimen（你们）。

A third tone, when followed by a first, second or fourth tone, or by the majority of the neutral tones, usually becomes a half third tone, that is, the tone that only falls but does not rise, e.g. "nǐmen → nˇimen（你们）".

（3）"不"的变调　Changes of tones of "不"

　"不"在第四声音节前或由第四声变来的轻声音节前读第二声。例如：bù kèqi → bú kèqi（不客气）。在第一、二、三声音节前仍读第四声。

　"不" is pronounced in the second tone when it precedes another fourth tone or a neutral tone that is originally a fourth tone, e.g. "bù kèqi → bú kèqi（不客气）". But it is pronounced in the fourth tone when it precedes a first, second or third tone.

语音练习　PHONETIC DRILLS

朗读下列词语，注意"不"的声调 Read out the following words, paying attention to the tone of "不"

bù tīng	（不听）	bù suān	（不酸）
bù xué	（不学）	bù tián	（不甜）
bù xiě	（不写）	bù kǔ	（不苦）
bú suàn	（不算）	bú là	（不辣）

bù gān bú jìng　（不干不净）

bù wén bú wèn　（不闻不问）

bù xǐ bù bēi　（不喜不悲）

bú jiàn bú sàn　（不见不散）

生词 NEW WORDS

1	你好	nǐ hǎo		Hello!
	你	nǐ	代	you
	好	hǎo	形	well, good
2	您	nín	代	you (*polite*)
3	你们	nǐmen	代	you (*plural*)
4	老师	lǎoshī	名	teacher
5	谢谢	xièxie	动	to thank
6	不客气	bú kèqi		You're welcome.
	不	bù	副	not
	客气	kèqi	形	polite, courteous
7	对不起	duìbuqǐ	动	I am sorry.
8	没关系	méi guānxi		Don't mention it.
9	再见	zàijiàn	动	good-bye
10	请	qǐng	动	please
11	进	jìn	动	to enter
12	坐	zuò	动	to sit
13	听	tīng	动	to listen
14	说	shuō	动	to say
15	读	dú	动	to read
16	写	xiě	动	to write

 课文 TEXTS

1

A： Nǐ hǎo!
你 好! [1]

B： Nǐ hǎo!
你 好!

nín nǐmen lǎoshī
您 [2] 你们 老师

2

A： Xièxie!
谢谢!

B： Bú kèqi.
不 客气。

3

A： Duìbuqǐ!
对不起!

B： Méi guānxi.
没 关系。

4

A： Zàijiàn!
再见!

B： Zàijiàn!
再见!

5

Qǐng jìn!
请 进!

zuò tīng shuō dú xiě
坐 听 说 读 写

注释 NOTES

1 你好。

日常问候语。任何时间、任何场合以及任何身份的人都可以使用。对方的回答也应是 "你好"。

It is a common greeting. It may be used anywhere, at any time and by anybody. The answer to it from the person addressed to is also "你好".

2 您

"您" 是 "你" 的敬称。

"您" is a polite expression of "你".

综合练习 COMPREHENSIVE EXERCISES

➡ 一、看图完成会话 Complete the dialogue according to each picture

A：你好！

B：＿＿＿＿＿＿＿＿＿！

A：＿＿＿＿＿＿＿＿＿！

B：不客气。

A：对不起！

B：＿＿＿＿＿＿＿＿＿！

A：＿＿＿＿＿＿＿＿＿！

B：你好！

A：＿＿＿＿＿＿＿＿＿！

B：没关系。

A、B：老师好！

老师：＿＿＿＿＿＿＿＿＿！

A、B： _____ ！　　A： _____ ！　　A： _____ ！

老师： _____ ！　　B：谢谢！　　　　　　　　B：谢谢！

⏩ 二、看图说动词 Give a Chinese verb for each picture

_____

_____

_____

_____

第 2 课　你好吗

LESSON 2　　　HOW ARE YOU

语音 PHONETICS

1 声母 Initials

b	p	m	f	d	t	n	l

2 韵母 Finals

a	o	e	i	u	ü	er

3 拼音 Spelling

	a	o	e	i	u	ü
b	ba	bo		bi	bu	
p	pa	po		pi	pu	
m	ma	mo	me	mi	mu	
f	fa	fo			fu	
d	da		de	di	du	
t	ta		te	ti	tu	
n	na		ne	ni	nu	nü
l	la		le	li	lu	lü

语音注释　PHONETICS EXPLANATION

1. 隔音符号　Dividing mark

a、o、e 开头的音节连接在其他音节后面时，为了使音节界限清楚，不致混淆，要用隔音符号 "'" 把它们隔开。例如：Tiān'ānmén（天安门）。

When a syllable beginning with "a", "o", "e" follows another syllable in such an ambiguous way that the division of the two syllables could be confused, it is essential to put a dividing mark "'" in between, e.g. "Tiān'ānmén（天安门）".

2. 儿化　Retroflex final

er 常常跟其他韵母结合在一起，使该韵母成为儿化韵母。儿化韵母的写法是在原韵母之后加-r。例如：wánr（玩儿）、huār（花儿）。

The final "er" is usually attached to another final to form a retroflex final and when thus used, it is no longer an independent syllable. A retroflex final is represented by the letter "r" added to the final, e.g. "wánr（玩儿）", "huār（花儿）".

语音练习　PHONETIC DRILLS

1. 辨声母 Initial discrimination

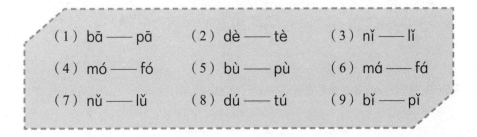

（1）bā —— pā	（2）dè —— tè	（3）nǐ —— lǐ
（4）mó —— fó	（5）bù —— pù	（6）má —— fá
（7）nǔ —— lǔ	（8）dú —— tú	（9）bǐ —— pǐ

2. 辨韵母 Final discrimination

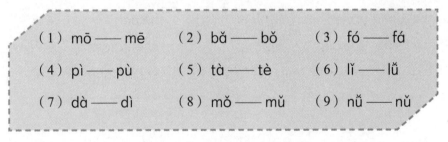

（1）mō —— mē	（2）bǎ —— bǒ	（3）fó —— fá
（4）pì —— pù	（5）tà —— tè	（6）lǐ —— lǔ
（7）dà —— dì	（8）mǒ —— mǔ	（9）nǔ —— nǔ

3. 辨调 Tone discrimination

（1）bǐ——bì　　（2）mō——mò　　（3）pà——pā

（4）tǔ——tū　　（5）nù——nǔ　　（6）lū——lù

（7）dé——dè　　（8）fū——fú

4. 听录音填空 Listen to the recording, and then fill in the blanks

（1）__ā　　　　（2）__ǔ　　　　（3）__ù

（4）__ó　　　　（5）__ì　　　　（6）__é

（7）__ǐ__ì　　　（8）__ī__ò　　　（9）__ú__ù

（10）__ǔ__ì　　（11）__è__ì　　（12）__ǔ__ì

（13）n__　　　（14）f__　　　　（15）p__

（16）l__　　　（17）d__　　　　（18）m__

（19）p__b__　　（20）d__g__　　（21）t__y__

（22）n__p__　　（23）d__y__　　（24）b__l__

5. 朗读下列音节 Read out the following syllables

1st + 1st: fāyīn （发音）	fēijī （飞机）	
1st + 2nd: huānyíng （欢迎）	bāng máng （帮忙）	
1st + 3rd: gāngbǐ （钢笔）	hēibǎn （黑板）	
1st + 4th: gāoxìng （高兴）	shēngdiào （声调）	
1st + the neutral tone: māma （妈妈）	shāngliang （商量）	

6. 朗读下列词语，注意儿化韵的读法 Read out the following words, paying attention to the retroflex final

wánr	（玩儿）	huār	（花儿）
fànguǎnr	（饭馆儿）	bǎncār	（板擦儿）
bīnggùnr	（冰棍儿）	xiǎosháor	（小勺儿）
yìdiǎnr	（一点儿）	huājuǎnr	（花卷儿）

 生词 NEW WORDS

1	吗	ma	助	*a particle used at the end of a question*
2	我	wǒ	代	I, me
3	很	hěn	副	very
4	呢	ne	助	*a particle used at the end of special, alternative, or rhetorical question*
5	也	yě	副	too, also
6	爸爸	bàba	名	father
7	妈妈	māma	名	mother
8	都	dōu	副	both, all
9	他们	tāmen	代	they, them
10	哥哥	gēge	名	elder brother
11	他	tā	代	he, him
12	姐姐	jiějie	名	elder sister
13	她	tā	代	she, her
14	爱人	àiren	名	husband or wife
15	弟弟	dìdi	名	younger brother

16	妹妹	mèimei	名	younger sister
17	忙	máng	形	busy
18	累	lèi	形	tired
19	饿	è	形	hungry
20	渴	kě	形	thirsty

课文 TEXTS

    Nǐ hǎo ma?
A：你 好 吗？[1]

    Wǒ hěn hǎo. Nǐ ne?
B：我 很 好。你 呢？[2]

    Wǒ yě hěn hǎo.
A：我 也 很 好。

    Nǐ bàba、māma dōu hǎo ma?
B：你 爸爸、妈妈 都 好 吗？

    Tāmen yě dōu hěn hǎo.
A：他们 也 都 很 好。[3]

nǐ gēge	tā
你哥哥	他
nǐ jiějie	tā
你姐姐	她
nǐ àiren	tā
你爱人	他
nǐ àiren	tā
你爱人	她

dìdi、mèimei
弟弟、妹妹

2

Nǐ máng ma?
A：你 忙 吗？

Wǒ bù máng.
B：我 不 忙。

lèi è kě
累 饿 渴

注释 NOTES

1 你好吗？

常用问候语。回答一般是"我很好"等套语。一般用于已经认识的人之间。

"你好吗" is a common greeting. One of the commonly used answer is "我很好". It is used between people who have already met each other.

2 你呢？

"……呢"承接上面的话题提出问题。

"……呢" is used to ask the same question as asked before.

3 他们也都很好。

"也"和"都"只能用在主语之后、动词或形容词之前。"也"和"都"修饰同一个动词或形容词时，"也"用在"都"的前面。

"也" and "都" are only used before verbs and adjectives, after subjects. If "也" and "都" both modify the same verb or adjective, "也" should precede "都".

综合练习 COMPREHENSIVE EXERCISES

⚑ 看图会话 Make a dialogue according to each picture

A：你好吗？

B：_____。

A：_____？

B：我很忙。_____？

A：_____。

A：你累吗？

B：_____。_____？

A：我很累。

A：你渴吗？

B：我不渴。_____。

A：我也很饿。

第 **3** 课　你吃什么

LESSON 3　　　　**WHAT DO YOU WANT TO EAT**

语音 PHONETICS

1 韵母 Finals

g	k	h

2 声母 Initials

ai	ei	ao	ou	an	en	ang	eng	ong

3 拼音 Spelling

	a	o	e	i	u	ü
g	ga		ge		gu	
k	ka		ke		ku	
h	ha		he		hu	

	ai	ei	ao	ou	an	en	ang	eng	ong
b	bai	bei	bao		ban	ben	bang	beng	
p	pai	pei	pao	pou	pan	pen	pang	peng	
m	mai	mei	mao	mou	man	men	mang	meng	
f		fei		fou	fan	fen	fang	feng	

	ai	ei	ao	ou	an	en	ang	eng	ong
d	dai	dei	dao	dou	dan		dang	deng	dong
t	tai	tei	tao	tou	tan		tang	teng	tong
n	nai	nei	nao	nou	nan	nen	nang	neng	nong
l	lai	lei	lao	lou	lan		lang	leng	long
g	gai	gei	gao	gou	gan	gen	gang	geng	gong
k	kai	kei	kao	kou	kan	ken	kang	keng	kong
h	hai	hei	hao	hou	han	hen	hang	heng	hong

语音练习 PHONETIC DRILLS

1. 辨声母 Initial discrimination

（1）gāi —— kāi   （2）hē —— gē

（3）gān —— hān   （4）kōng —— gōng

（5）hǎo —— kǎo   （6）kěn —— hěn

（7）tóugǎo —— tóukǎo （8）mǐgāng —— mǐkāng

（9）hūhǎn —— kūhǎn   （10）hòuwèi —— gòuwèi

2. 辨韵母 Final discrimination

（1）kěn —— kǎn   （2）gān —— gāng

（3）hòu —— hòng   （4）hèn —— hèng

（5）gěng —— gǒng   （6）kǎo —— kǒu

（7）mùpén —— mùpéng   （8）kāifàn —— kāifàng

（9）gòule —— gàole   （10）bǎibù —— běibù

3. 辨声调 Tone discrimination

（1）fèn —— fēn   （2）máo —— mǎo

（3）lèi —— lěi   （4）bāng —— bǎng

（5）gēn —— gěn   （6）hèng —— héng

（7）hòufāng —— hòufáng   （8）kāifāng —— kāifàng

（9）bānnòng —— bànnóng   （10）wǔdǎo —— wǔ dào

4. 听录音填空 Listen to the recording, and then fill in the blanks

（1）___ǎ   （2）___ěn   （3）___ēi

（4）___àn   （5）___āng   （6）___èng

（7）___ù___è   （8）___án___ài   （9）___òng___ào

（10）___āng___ǎi   （11）___áng___ǎi   （12）___ōng___uì

（13）m___   （14）p___   （15）t___

（16）l___   （17）p___   （18）d___

（19）n___h___   （20）b___b___   （21）t___d___

（22）b___n___   （23）m___k___   （24）d___p___

5. 朗读下列音节 Read out the following syllables

2nd + 1st: fángjiān （房间）   míngtiān （明天）

2nd + 2nd: tóngxué （同学）   yínháng （银行）

2nd + 3rd: méiyǒu （没有）   píjiǔ （啤酒）

2nd + 4th: yóupiào （邮票）   dédào （得到）

2nd + the neutral tone: bié de （别的）   tóufa （头发）

生词 NEW WORDS

1	吃	chī	动	to eat
2	什么	shénme	代	what
3	饺子	jiǎozi	名	dumpling (with meat and vegetable stuffing)
4	米饭	mǐfàn	名	cooked rice
5	面条	miàntiáo	名	noodle
6	面包	miànbāo	名	bread
7	包子	bāozi	名	steamed stuffed bun
8	喝	hē	动	to drink
9	啤酒	píjiǔ	名	beer
10	茶	chá	名	tea
11	咖啡	kāfēi	名	coffee
12	矿泉水	kuàngquánshuǐ	名	mineral water
13	牛奶	niúnǎi	名	milk
14	买	mǎi	动	to buy
15	词典	cídiǎn	名	dictionary
16	本子	běnzi	名	notebook
17	书	shū	名	book
18	笔	bǐ	名	pen
19	书包	shūbāo	名	schoolbag

● 专名 **PROPER NOUN**

可口可乐	Kěkǒu-kělè	Coca-cola

课文 TEXTS

1

Nǐ chī shénme?
A：你 吃 什么？

Wǒ chī jiǎozi.
B：我 吃 饺子。

mǐfàn miàntiáo
米饭 面条
miànbāo bāozi
面包 包子

2

Nǐ hē shénme?
A：你 喝 什么？

Wǒ hē píjiǔ.
B：我 喝 啤酒。

Kěkǒu-kělè chá kāfēi
可口可乐 茶 咖啡
kuàngquánshuǐ niúnǎi
矿泉水 牛奶

3

Nǐ mǎi shénme?
A：你 买 什么？

Wǒ mǎi cídiǎn.
B：我 买 词典。

běnzi shū
本子 书
bǐ shūbāo
笔 书包

综合练习 COMPREHENSIVE EXERCISES

⏩ 一、看图会话 Make a dialogue according to each picture

A：你吃什么？

B：＿＿＿＿＿＿＿＿＿＿＿＿。

A：你们买什么？

B：＿＿＿＿＿＿＿＿＿＿＿＿。

C：＿＿＿＿＿＿＿＿＿＿＿＿。

⏩ 二、用汉语说出下列物品的名称 Say the names of the following articles in Chinese

7

8

9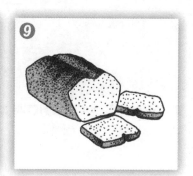

10

11

12

13

14

15

第 **4** 课 多少钱

LESSON 4   **HOW MUCH IS IT**

语音 PHONETICS

1 声母 Initials

j	q	x

2 韵母 Finals

ia	ie	iao	iou (iu)	ian	in	iang	ing	iong
üe	üan	ün						

3 拼音 Spelling

	ia	ie	iao	iou (iu)	ian	in	iang	ing	iong	üe	üan	ün
b		bie	biao		bian	bin		bing				
p		pie	piao		pian	pin		ping				
m		mie	miao	miu	mian	min		ming				
f												
d		die	diao	diu	dian			ding				
t		tie	tiao		tian			ting				
n		nie	niao	niu	nian	nin	niang	ning		nüe		
l	lia	lie	liao	liu	lian	lin	liang	ling		lüe		

	ia	ie	iao	iou (iu)	ian	in	iang	ing	iong	üe	üan	ün
j	jia	jie	jiao	jiu	jian	jin	jiang	jing	jiong	jue	juan	jun
q	qia	qie	qiao	qiu	qian	qin	qiang	qing	qiong	que	quan	qun
x	xia	xie	xiao	xiu	xian	xin	xiang	xing	xiong	xue	xuan	xun

语音注释 PHONETICS EXPLANATION

1. ü 的拼写 Spelling rules of "ü"

ü 自成音节或在一个音节开头时，前边加上 y，ü 上面的两点省略。例如：ü → yu、üan → yuan、üe → yue、ün → yun。

When "ü" forms a syllable by itself or occurs at the beginning of a syllable, it is written as "yu", with the two dots of "ü" dropped, e.g. "ü → yu", "üan → yuan", "üe → yue", "ün → yun".

2. i 的拼写 Spelling rules of "i"

i 自成音节时，前边加上 y；在一个音节开头时，写成 y。例如：i → yi、ian → yan。

When "i" forms a syllable by itself, it is written as "yi"; when "i" occurs at the beginning of a syllable, it should be written as "y", e.g. "i→yi", "ian→yan".

3. iou 的拼写 Spelling rules of "iou"

iou 在跟声母相拼时，中间的元音 o 省略，写成 iu，调号标在后一元音上，例如：jiǔ（九）。iou自成音节时，写成you，调号标在o上，例如：yōu（优）。

The compound final "iou" is written as "iu" and the tone-mark is placed above the last element, e.g. "jiǔ（九）". When it forms a syllable by itself, it is written as "you" and the tone-mark is placed above "o", e.g. "yōu（优）".

4. j、q、x 与 ü 的拼写 Spelling rules of "j", "q", "x" and "ü"

j、q、x 与 ü 及以 ü 开头的韵母相拼时，ü 上面的两点省略。例如：jù（句）、xué（学）。

When "j", "q", "x" are put before "ü" or a final beginning with "ü", the two dots in "ü" are dropped, e.g. "jù（句）", "xué（学）".

语音练习 PHONETIC DRILLS

1. 辨声母 Initial discrimination

（1）jiā —— qiā　　　　（2）qiǔ —— jiǔ

（3）xué —— qué　　　　（4）jìng —— xìng

（5）qióng —— xióng　　（6）xuān —— juān

（7）Běijīng —— bēiqíng　（8）xiángxì —— xiāngjì

（9）xiūxué —— qiúxué　（10）qiànquē —— xiánquē

2. 辨韵母 Final discrimination

（1）quán —— qián　　　（2）xiě —— xuě

（3）jiào —— jiù　　　　（4）xīn —— xīng

（5）jiǎn —— jiǎng　　　（6）qūn —— qīn

（7）yàopiàn —— yòupiàn　（8）xiānhuā —— xiānghuā

（9）rénmín —— rénmíng　（10）tōngxìn —— tōngxùn

3. 辨声调 Tone discrimination

（1）qiè —— qiě　　　　（2）jīng —— jǐng

（3）juě —— juè　　　　（4）xū —— xǔ

（5）jùn —— jūn　　　　（6）jiā —— jiá

（7）xīqū —— xīqǔ　　　（8）qiánxiàn —— qiān xiàn

（9）tōngxíng —— tóngxíng　（10）jiǎnmiǎn —— jiàn miàn

4. 听录音填空 Listen to the recording, and then fill in the blanks

（1）__ǔ　　　　（2）__uān　　　　（3）__ín

（4）__iǎo　　　（5）__iē　　　　（6）__iáng

（7）__iān__ián　　（8）__iǎo__ìng　　（9）__īng__iàng

（10）__iā__ǐn　　（11）__iě__ǐng　　（12）__uán__ūn

（13）j__　　　　（14）x__　　　　（15）j__

（16）x__　　　　（17）q__　　　　（18）x__

（19）q__x__　　　（20）y__x__　　　（21）j__j__

（22）q__q__　　　（23）j__q__　　　（24）q__x__

5. 朗读下列音节 Read out the following syllables

（1）第三声 + 一、二、四声及轻声 → 半三声 + 一、二、四及轻声

3rd tone + 1st, 2nd, 4th or the neutral tone → half 3rd tone + 1st, 2nd, 4th or the neutral tone

3rd + 1st: Běijīng	（北京）	jiǎndān　（简单）
3rd + 2nd: lǚxíng	（旅行）	Měiguó　（美国）
3rd + 4th: kěpà	（可怕）	wǎnfàn　（晚饭）
3rd + the neutral tone: xǐhuan	（喜欢）	běnzi　（本子）

（2）第三声 + 第三声 → 第二声 + 第三声

3rd tone + 3rd tone → 2nd tone + 3rd tone

yǔfǎ → yúfǎ　（语法）　　　　fǔdǎo → fúdǎo　（辅导）

生词 NEW WORDS

1	要	yào	助动/动	would like; to want
2	换	huàn	动	to change
3	钱	qián	名	money
4	多少	duōshao	代	how much, how many
5	一	yī	数	one
6	百	bǎi	数	hundred
7	美元	měiyuán	名	US dollar
8	二	èr	数	two
9	三	sān	数	three
10	四	sì	数	four
11	五	wǔ	数	five
12	十	shí	数	ten
13	两	liǎng	数	two
14	杯	bēi	名	cup, glass
15	块（元）	kuài (yuán)	量	*yuan* (the basic monetary unit of China)
16	个	gè	量	*a measure word most extensively used*
17	六	liù	数	six
18	毛（角）	máo (jiǎo)	量	*mao/jiao* (the fractional monetary unit of China, =1/10 of a *yuan*)
19	分	fēn	量	*fen* (the fractional monetary unit of China, =1/10 of a *jiao*)
20	瓶	píng	名	bottle
21	七	qī	数	seven
22	八	bā	数	eight
23	本	běn	量	*a measure word for books, etc.*
24	九	jiǔ	数	nine

课文 TEXTS

1

Wǒ yào huàn qián.
A：我 要 换 钱。

Huàn duōshao?
B：换 多少？

Huàn yìbǎi měiyuán.
A：换 一百 美元。

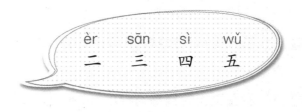

èr sān sì wǔ
二 三 四 五

2

Liǎng bēi kāfēi
A：两 杯 咖啡 [1]

duōshao qián?
多少 钱？

Wǔshí kuài.
B：五十 块。

yí ge 一个	běnzi 本子	liù máo wǔ (fēn) 六毛五（分）
sì píng 四瓶	píjiǔ 啤酒	qī kuài èr 七块二
liǎng ge 两个	miànbāo 面包	bā kuài 八块
sān běn 三本	cídiǎn 词典	jiǔshí kuài 九十块

注释 NOTE

1 两杯咖啡

"二"和"两"都表示"2"这个数目。在量词前（或不需要量词的名词前）一般用"两"不用"二"。

Both "二" and "两" mean the number of two. When "2" comes before a measure word (or before a noun which needs no measure word before it), "两" is used instead of "二".

综合练习 COMPREHENSIVE EXERCISES

▶ 一、用汉语从"一"数到"一百"　Count from 1 to 100 in Chinese

▶ 二、看人民币说钱数　Look at the RMB and tell the nominal value

▶ 三、看图进行替换练习　Do substitution drills according to each picture

1.　例 Example

A：你买什么？

B：我买一 瓶 矿泉水。

瓶

❷

杯

个

❹

本

2. 例 Example

A：一瓶矿泉水多少钱？

B：两块。

▶ **四、用所给词语完成会话** Complete the following dialogue with the given word

A：＿＿＿＿＿＿＿＿＿＿。（换）

B：＿＿＿＿＿＿＿＿＿＿？（多少）

A：＿＿＿＿＿＿＿＿＿＿。（美元）

第 5 课 图书馆在哪儿

LESSON 5　　　WHERE IS THE LIBRARY

语音 PHONETICS

1 声母 Initials

z	c	s	zh	ch	sh	r

2 韵母 Finals

ua	uo	uai	uei (ui)	uan	uen (un)	uang	ueng

3 拼音 Spelling

	ua	uo	uai	uei (ui)	uan	uen (un)	uang	ueng
d		duo		dui	duan	dun		
t		tuo		tui	tuan	tun		
n		nuo			nuan			
l		luo			luan	lun		
g	gua	guo	guai	gui	guan	gun	guang	
k	kua	kuo	kuai	kui	kuan	kun	kuang	
h	hua	huo	huai	hui	huan	hun	huang	
z		zuo		zui	zuan	zun		
c		cuo		cui	cuan	cun		
s		suo		sui	suan	sun		

	ua	uo	uai	uei (ui)	uan	uen (un)	uang	ueng
zh	zhua	zhuo	zhuai	zhui	zhuan	zhun	zhuang	
ch		chuo	chuai	chui	chuan	chun	chuang	
sh	shua	shuo	shuai	shui	shuan	shun	shuang	
r	rua	ruo		rui	ruan	run		

语音注释 PHONETICS EXPLANATION

1. u 的拼写 Spelling rules of "u"

u 自成音节时，要在前边加上 w；在一个音节开头时，要写成 w。例如：u → wu、uan → wan。

When "u" forms a syllable by itself, it should be written as "wu"; when "u" occurs at the beginning of a syllable, it is written as "w", e.g. "u → wu", "uan → wan".

2. uei、uen 的拼写 Spelling rules of "uei" and "uen"

uei、uen 跟声母相拼时，中间的元音省略，写成 ui、un。例如：huí（回）、zhǔn（准）。

"uei" and "uen", when preceded by an initial, are written as "ui" and "un" respectively, e.g. "huí（回）", "zhǔn（准）".

3. "一" 的变调 Changes of tones of "一"

"一" 单念时读原调，例如：yī（一）。在第四声音节前或由第四声变来的轻声音节前读第二声，例如：yí kuài（一块）、yí ge（一个）。在第一、二、三声音节前读第四声，例如：yì fēn（一分）、yì píng（一瓶）、yì běn（一本）。

The word "一" is normally pronounced in the first tone, e.g. "yī（一）". When "一" is followed by a syllable in the fourth tone, or by a syllable in the neutral tone transformed from the fourth tone, it is pronounced in the second tone, e.g. "yí kuài（一块）", "yí ge（一个）". When "一" is followed by a syllable in the first, the second or the third tone, it is pronounced in the fourth tone, e.g. yì fēn（一分）", "yì píng（一瓶）", "yì bě（一本）".

语音练习 PHONETIC DRILLS

1. 辨声母 Initial discrimination

（1） zū —— sū
（2） suī —— cuī
（3） cún —— chún
（4） shuò —— ruò
（5） zhuān —— zuān
（6） chù —— zhù
（7） chāoqī —— zhāoxī
（8） suōxiǎo —— cuō jiǎo
（9） qiúchǎng —— qiúzhǎng
（10） jiēchù —— jiéshù
（11） zǔlì —— zhǔlì
（12） mùcái —— mùchái
（13） sāngyè —— shāngyè
（14） chá cuò —— cházuò

2. 辨韵母 Final discrimination

（1） sū —— suō
（2） wěn —— wěng
（3） zhuǎn —— zhuǎng
（4） chuāi —— chuī
（5） shuā —— shuāi
（6） zuān —— zūn
（7） chuán shang —— chuáng shang
（8） zhūzi —— zhuìzi
（9） shuāi jiāo —— shuì jiào
（10） zhuāzhù —— zhuōzhù

3. 辨声调 Tone discrimination

（1） suān —— suàn
（2） cuò —— cuō
（3） rǔ —— rú
（4） shuāng —— shuǎng
（5） zhū —— zhù
（6） ruì —— ruǐ
（7） zhěngjié —— zhēngjié
（8） chuǎn qì —— chuánqí
（9） xīnsuān —— xīnsuàn
（10） sīxiǎng —— sī xiāng

4. 听录音填空 Listen to the recording, and then fill in the blanks

A. （1）___uā   （2）___ū   （3）___uī

（4）___uò   （5）___ī   （6）___uāng

（7）___ū___ù   （8）___uó___ù   （9）___uán___uō

（10）___uī___uí   （11）___uò___ǔ   （12）___ù___uǒ

（13）c___   （14）z___   （15）zh___

（16）sh___   （17）zh___   （18）ch___

（19）r___r___   （20）sh___zh___   （21）s___sh___

（22）zh___zh___   （23）ch___zh___   （24）z___ch___

B. （1）___ūn___uāng   （2）___í___iē   （3）___ián___éng

（4）___ū___í   （5）___īn___ǎng   （6）___í___íng

（7）___uǒ___ìng   （8）___iàn___uǒ   （9）___iū___è

（10）___è___iàng   （11）___ì___ùn   （12）___ào___èi

5. 朗读下列音节 Read out the following syllables

4th + 1st:	qìchē	（汽车）	dàjiā （大家）
4th + 2nd:	liànxí	（练习）	wèntí （问题）
4th + 3rd:	Hànyǔ	（汉语）	bàozhǐ （报纸）
4th + 4th:	zàijiàn	（再见）	zhùyì （注意）
4th + the neutral tone:	mèimei	（妹妹）	jìngzi （镜子）

6. 朗读下列词组，注意"一"的变调 Read out the following phrases, paying attention to the changes of tones of "一"

yízhì tōngguò	（一致通过）	yírì-qiānlǐ	（一日千里）
yìtiān-dàowǎn	（一天到晚）	yìzhī-bànjiě	（一知半解）
yì yán wéi dìng	（一言为定）	yìwǎng-wúqián	（一往无前）
yìxīn-yíyì	（一心一意）	dà nián chūyī	（大年初一）

生词 NEW WORDS

1	请问	qǐngwèn	动	Excuse me, May I ask...?
2	图书馆	túshūguǎn	名	library
3	在	zài	动/介	to exist; at, in, on
4	哪儿	nǎr	代	where
5	就	jiù	副	just
6	那儿	nàr	代	there
7	食堂	shítáng	名	dining hall
8	留学生	liúxuéshēng	名	overseas student
9	宿舍	sùshè	名	dormitory
10	办公室	bàngōngshì	名	office
11	号	hào	名/量	number; *indicating the order of sequence*
12	楼	lóu	名	building
13	邮局	yóujú	名	post office
14	知道	zhīdào	动	to know
15	银行	yínháng	名	bank

16	医院	yīyuàn	名	hospital
17	商店	shāngdiàn	名	shop
18	书店	shūdiàn	名	bookstore
19	去	qù	动	to go

● 专名 **PROPER NOUNS**

1	天安门	Tiān'ānmén	the Tian'anmen Square
2	故宫	Gùgōng	the Forbidden City
3	颐和园	Yíhé Yuán	the Summer Palace
4	长城	Chángchéng	the Great Wall

课文 TEXTS

1

Qǐngwèn, túshūguǎn zài nǎr?
A：请问[1]，图书馆 在哪儿？

Jiù zài nàr.
B：就 在 那儿。

shítáng liúxuéshēng sùshè
食堂 留学生 宿舍
bàngōngshì qī hào lóu
办公室 七 号 楼

2

Qǐngwèn, yóujú zài nǎr?
A：请问，邮局在哪儿？

Duìbuqǐ, wǒ bù zhīdào.
B：对不起，我 不 知道。

yínháng yīyuàn
银行 医院
shāngdiàn shūdiàn
商店 书店

3

Nǐ qù nǎr?
A：你 去 哪儿？

Wǒ qù Tiān'ānmén.
B：我 去 天安门。

Gùgōng Yíhé Yuán Chángchéng
故宫   颐和 园   长城

注释 NOTE

1 请问

"请问"是向别人提问时的客套话，一定要用在提出问题之前。

"请问" is a polite form of inquiry, used to ask someone something. It should be used before the question that will be asked.

综合练习 COMPREHENSIVE EXERCISES

一、看图完成会话 Complete the dialogue according to each picture

A：请问，＿＿＿＿＿＿＿＿＿？

B：＿＿＿＿＿＿＿＿＿。

A：请问，八号楼在哪儿？

B：对不起，＿＿＿＿＿＿＿＿。

A：你去哪儿？

B：＿＿＿＿＿＿＿＿＿。

A：＿＿＿＿＿＿＿＿＿？

B：我去邮局。

A：他们去哪儿？

B：＿＿＿＿＿＿＿＿。

A：＿＿＿＿＿＿＿＿＿？

B：我去颐和园。

二、用汉语说出下列地点的名称 Say the names of the following places in Chinese

第 **6** 课 我来介绍一下儿

LESSON 6　　**LET ME INTRODUCE**

学 生 证

姓名 ：	保罗
Name	
性别 ：	男
Gender	
国籍 ：	德国
Nationality	
单位 ：	速成学院
Unit	

日期：2015年7月

生词 NEW WORDS

1	认识	rènshi	动	to meet, to know
2	高兴	gāoxìng	形	happy
3	来	lái	动	*used before a verb, indicating an intended action*
4	介绍	jièshào	动	to introduce
5	一下儿	yíxiàr	数量	*indicating an action of short duration or that done in a casual way*
6	是	shì	动	to be
7	学习	xuéxí	动	to learn, to study
8	汉语	Hànyǔ	名	Chinese language
9	班	bān	名/量	class; *a measure word used for scheduled forms of transportation*
10	的	de	助	of
11	学生	xuésheng	名	student

12	这	zhè	代	this
13	我们	wǒmen	代	we, us
14	那	nà	代	that
15	朋友	péngyou	名	friend
16	和	hé	连/介	and; with
17	人	rén	名	people
18	教室	jiàoshì	名	classroom
19	大	dà	形	big
20	新	xīn	形	new
21	同学	tóngxué	名	classmate
22	厚	hòu	形	thick
23	漂亮	piàoliang	形	pretty, beautiful
24	极了	jí le		extremely
25	女儿	nǚ'ér	名	daughter
26	聪明	cōngming	形	clever
27	可爱	kě'ài	形	lovely
28	看	kàn	动	to look
29	帅	shuài	形	handsome
30	小*	xiǎo	形/头	small, little; *a prefix showing endearment for young people*

● **专名 PROPER NOUNS**

1	保罗	Bǎoluó	Paul
2	德国	Déguó	Germany

说明: 加*号的词出现在语法或练习中。

Note: The word with an asterisk appears in Grammar or Exercises.

3	西蒙	Xīméng	Simon
4	李英男	Lǐ Yīngnán	*name of a person*
5	法国	Fǎguó	France
6	韩国	Hánguó	Korea

课文 TEXTS

1 Bǎoluó: Nǐmen hǎo, rènshi nǐmen hěn gāoxìng. Wǒ lái jièshào
保罗： 你们 好， 认识 你们 很 高兴。 我 来 介绍

yíxiàr, wǒ shì Déguó liúxuéshēng Bǎoluó, wǒ xuéxí
一下儿[1]， 我 是 德国 留学生 保罗， 我 学习

Hànyǔ. Wǒ shì A bān de xuésheng. Zhè shì wǒmen de
汉语。 我 是 A 班 的 学生。 这 是 我们 的

lǎoshī. Nà shì wǒ péngyou Xīméng hé Lǐ Yīngnán, tāmen
老师。 那 是 我 朋友 西蒙 和 李 英男， 他们

yě shì liúxuéshēng. Tāmen dōu bú shì Déguó rén, Xīméng
也 是 留学生。 他们 都 不 是 德国 人， 西蒙

shì Fǎguó rén, Lǐ Yīngnán shì Hánguó rén.
是 法国 人， 李 英男 是 韩国 人。

2 Bǎoluó: Zhè shì wǒmen de jiàoshì. Wǒmen de jiàoshì bú dà. Zhè
保罗： 这 是 我们 的 教室。 我们 的 教室 不 大。 这

shì wǒ de Hànyǔ shū. Wǒ de shū hěn xīn. Nà bú shì wǒ
是 我 的 汉语 书。 我 的 书 很 新。 那 不 是 我

de cídiǎn, nà shì wǒ tóngxué de cídiǎn. Tā de cídiǎn hěn hòu.
的 词典， 那 是 我 同学 的 词典。他 的 词典 很 厚。

3 Bǎoluó: Zhè shì wǒ bàba.　Zhè shì wǒ māma. Zhè shì wǒ àiren,

保罗： 这 是 我 爸爸。 这 是 我 妈妈。 这 是 我 爱人，

tā piàoliang jí le. Zhè shì wǒmen de nǚ'ér, tā hěn

她　漂亮 极 了。这 是 我们 的 女儿，她　很

cōngming, yě hěn kě'ài. Nǐmen kàn, zhè shì wǒ,　hěn shuài.

聪明，　也 很 可爱。你们 看， 这 是 我， 很　帅。

注释　NOTE

1　我来介绍一下儿。

给别人介绍时的常用语。"来"用在另一个动词前面，表示要做某件事。

It is commonly used while introducing people to each other. The verb "来" preceding another verb indicates that one is about to do something.

语法 GRAMMAR

> 1. 我学习汉语。
> 2. 是/不是
> 3. 汉语书/你的书
> 4. 很新、不大

1. 汉语的一般语序 The word order in a Chinese sentence

汉语句子一般可以分为主语部分和谓语部分。主语在前，谓语在后。主语的主要成分常常是名词或代词，谓语的主要成分常常是动词、形容词。例如：

A Chinese sentence is usually composed of the subject part and the predicate part. The subject precedes the predicate. The subject is often a noun or a pronoun. The predicate is often a verb or an adjective, e.g.

> ① 保罗是留学生。　　② 我学习汉语。
>
> ③ 她很漂亮。

这三个句子中的"保罗""我""她"是主语，"是""学习""漂亮"是谓语主要成分。第①、②句中的"留学生""汉语"是宾语。第③句中的副词"很"作状语，修饰形容词谓语"漂亮"。

In the three sentences above, "保罗", "我" and "她" are the subjects. "是", "学习" and "漂亮" are the predicates. In the first and the second sentences, "留学生" and "汉语" are objects. In the third sentence, the adverb "很" functions as an adverbial adjunct to qualify the adjective predicate "漂亮".

· 练习 EXERCISES ·

连词成句 Make a sentence using the given words

❶ 这　笔　是　　⇨ _____。

❷ 书　新　很　　⇨ _____。

❸ 韩国人　他　是 ⇨ _____。

2. "是"字句（1） The "是" sentence (1)

"是"字句是用"是"作谓语的句子。动词"是"后面的宾语是说明主语的。否定形式是在"是"前加否定副词"不"。例如：

A sentence in which the predicate is "是" is known as the "是" sentence. The object after the verb "是" is used to explain the subject. The "是" sentence becomes negative when the negative adverb "不" is put before "是", e.g.

① 我是留学生。　　　② 这是词典。

③ 他不是留学生。　　④ 那不是词典。

· 练习 EXERCISES ·

根据图示，用"是"或"不是"填空 Fill in the blanks with "是" or "不是" according to the pictures

她＿＿＿＿留学生，　　这＿＿＿＿啤酒，　　这＿＿＿＿词典，

＿＿＿＿老师。　　　　＿＿＿＿矿泉水。　　＿＿＿＿汉语书。

3. 定语和结构助词"的" The attributive and the structural particle "的"

定语主要是修饰名词的。被修饰的成分叫中心语，名词、代词、形容词、数量词等都可以作定语。定语要放在中心语前边。例如：

An attributive is an element mainly qualifying a noun. What it qualifies is called the qualified word. Nouns, pronouns, adjectives and quantifiers, etc. can all be used as attributives, which must precede what they qualify, e.g.

法国学生   汉语书   新同学   两杯咖啡

代词、名词作定语表示领属关系时，后面要加结构助词"的"。例如：

When a noun or a pronoun is used as an attributive to show possession, the structural particle "的" must be inserted between the attributive and what it qualifies, e.g.

我的书   保罗的词典

如果代词所修饰的中心语是亲友或所属单位，可以不用"的"。例如：

But if the word which the personal pronoun modifies refers to a family or friendship relation or a unit to which the person denoted by the pronoun belongs, the personal pronoun usually does not take a "的" after it, e.g.

我爸爸   我朋友   我们班

如果名词定语是说明中心语的性质的，一般也不用"的"。例如：

When a noun is used attributively to indicate the characteristic or quality of the object denoted by the word it qualifies, it usually doesn't take a "的" after it, e.g.

汉语书   德国人

· 练习 EXERCISES ·

根据图示，填上定语（注意"的"的用法） Fill in the blanks with proper attributive according to the pictures (paying attention to the usage of "的")

这是 _____ 书。

这不是 _____ 教室。

4. 形容词谓语句 Sentences with an adjectival predicate

谓语主要成分是形容词的句子叫作形容词谓语句。汉语的形容词谓语句，谓语部分不用动词"是"。例如：

A sentence in which the main element of the predicate is an adjective is known as a sentence with an adjectival predicate. In such a sentence the verb "是" is not necessarily used in the predicate, e.g.

① 她很聪明。　　　② 我的书很新。

在肯定的陈述句里，简单的谓语形容词前常用副词"很"。这里"很"表示程度的意义已弱化。如果单独用形容词作谓语，就带有比较的意思，一般用在对比的句子里。例如：

In affirmative sentences of this type, the simple predicative adjective is usually preceded by the adverb "很". But "很" doesn't indicate degree as it does elsewhere. And without adverbial modifiers of any kind, the adjective often implies comparison. It is usually used in comparison sentences, e.g.

③ 我们班的教室大，他们班的教室小*。

形容词谓语句的否定形式是在形容词前加上副词"不"。例如：

The negative form of this type of sentences is obtained by putting the adverb "不" before the adjective, e.g.

④ 我们的教室不大。　　　⑤ 她不漂亮。

· 练习　EXERCISES ·

用学过的形容词对图中的人或物进行描述　Describe the pictures with the adjectives you have learned

综合练习 COMPREHENSIVE EXERCISES

一、用学过的句式进行介绍或描述 Make an introduction or description using the sentence patterns you have learned

1. 介绍你自己和你周围的人或物 Introduce yourself and people or things around you

2. 描述图片中的人或物 Describe the people or things in the pictures

二、听一听，找一找，说一说 Listen, find and speak

你身体好吗

HOW IS YOUR HEALTH

 生词 NEW WORDS

1	最近	zuìjìn	名	recently
2	身体	shēntǐ	名	health, body
3	比较	bǐjiào	副	quite, relatively
4	成绩	chéngjì	名	score
5	马马虎虎	mǎmahūhū	形	so-so
6	努力	nǔlì	形	hard
7	非常	fēicháng	副	very
8	太	tài	副	very, too
9	里	li	名	in

10	有	yǒu	动	to have, there be
11	没（有）	méi (yǒu)	动/副	not to have, there be not; have not or did not
12	空调	kōngtiáo	名	air-conditioner
13	同屋	tóngwū	名	roommate
14	离	lí	动	from (*indicating an interval of space or time*)
15	远	yuǎn	形	far
16	近	jìn	形	near
17	学校	xuéxiào	名	school
18	多	duō	形	many, much
19	挺	tǐng	副	quite
20	怎么样	zěnmeyàng	代	what about…
21	不错	búcuò	形	not bad
22	头发*	tóufa	名	hair
23	长*	cháng	形	long
24	眼睛*	yǎnjing	名	eye
25	个子*	gèzi	名	height
26	高*	gāo	形	tall, high
27	电视*	diànshì	名	TV

● 专名 **PROPER NOUNS**

| 1 | 中国 | Zhōngguó | China |
| 2 | 莉莉* | Lìli | Lily |

课文 TEXTS

1

Zhōngguó péngyou: Zuìjìn nǐ shēntǐ hǎo ma?
中国　　朋友：最近 你 身体 好 吗？

Xīméng: Wǒ shēntǐ hěn hǎo.
西蒙：我 身体 很 好。

Zhōngguó péngyou: Nǐ xuéxí máng ma?
中国　　朋友：你 学习 忙 吗？

Xīméng: Wǒ xuéxí bǐjiào máng.
西蒙：我 学习 比较 忙。

Zhōngguó péngyou: Nǐ chéngjì hǎo ma?
中国　　朋友：你 成绩 好 吗？

Xīméng: Mǎmahūhū.
西蒙：马马虎虎。

Zhōngguó péngyou: Nǐmēn bān tóngxué xuéxí nǔlì ma?
中国　　朋友：你们 班 同学 学习 努力 吗？

Xīméng: Tāmēn xuéxí fēicháng nǔlì.
西蒙：他们 学习 非常 努力。

2

Zhōngguó péngyou: Nǐ de sùshè dà bu dà?
中国　　朋友：你 的 宿舍 大 不 大？

Xīméng: Wǒ de sùshè bú tài dà.
西蒙：我 的 宿舍 不 太 大。

Zhōngguó péngyou: Sùshè li yǒu méiyǒu kōngtiáo?
中国　　朋友：宿舍 里 有 没有 空调？

Xīméng: Sùshè li yǒu kōngtiáo.
西蒙：宿舍 里 有 空调。

Zhōngguó péngyou: Nǐ yǒu méiyǒu tóngwū?
中国　　朋友：你有　没有　同屋？

Xīméng: Wǒ méiyǒu tóngwū.
西蒙：我　没有　同屋。

Zhōngguó péngyou: Nǐ de sùshè lí jiàoshì yuǎn bu yuǎn?
中国　　朋友：你的　宿舍　离　教室　远　不　远？

Xīméng: Wǒ de sùshè lí jiàoshì hěn jìn.
西蒙：我　的　宿舍　离　教室　很　近。

3 Zhōngguó péngyou: Nǐmen xuéxiào liúxuéshēng duō bu duō?
中国　　朋友：你们　学校　留学生　多　不　多？

Xīméng: Wǒmen xuéxiào liúxuéshēng tǐng duō de.
西蒙：我们　学校　留学生　挺　多　的。[1]

Zhōngguó péngyou: Nǐmen xuéxiào shítáng zěnmeyàng?
中国　　朋友：你们　学校　食堂　怎么样？[2]

Xīméng: Wǒmen xuéxiào shítáng búcuò.
西蒙：我们　学校　食堂　不错。

注释　NOTES

1 我们学校留学生挺多的。

"挺……的"或"挺……"，意思是相当于"很……"。
"挺……的" or "挺……" means "很……".

2 你们学校食堂怎么样？

"怎么样"是疑问代词，可以用来询问状况或征求别人的意见、看法。
"怎么样" is an interrogative pronoun. It can be used to ask about situations or inquire about other people's opinion.

语法 GRAMMAR

> 1. 我身体很好。
>
> 2. ……吗？
>
> 3. 大不大？有没有？
>
> 4. 我没有同屋。

1. 主谓谓语句 Sentence with a "subject-predicate" predicate

主谓结构作谓语的句子叫主谓谓语句。它的否定形式一般是在主谓结构的谓语前加否定副词 "不" 等。例如：

A sentence in which a subject-predicate construction functions as the main element of the predicate is called a sentence with a "subject-predicate" predicate. The sentences of this type are made negative by putting the negative adverb "不" before the predicate of "subject-predicate" construction, e.g.

> ① 我身体很好。　　　　② 他学习不太努力。
>
> ③ 我们学校留学生挺多的。

! 注意： "我身体很好" 跟 "我的身体很好" 意思差不多，但前者比后者更常用。

NB: "我身体很好" and "我的身体很好" have the similar meaning, but the former expression is more often used than the latter.

· 练习 EXERCISES ·

看图回答或描述 Give answers or descriptions according to the pictures

A：保罗身体怎么样？

B：＿＿＿＿＿＿＿＿＿＿。

A：保罗成绩怎么样？

B：＿＿＿＿＿＿＿＿＿＿。

莉莉* _____。
（头发*、长*）

莉莉 _____。
（眼睛*、大）

莉莉 _____。
（个子*、高*）

我们的教室 _____。

我们的食堂 _____。

2. 疑问句（1） Interrogative sentences (1)

疑问句的提问方法是在陈述句句尾加上语气助词"吗"。例如：

When the interrogative particle "吗" is added at the end of a declarative sentence, it becomes a general question, e.g.

① 你们是留学生吗？　② 你学习努力吗？

③ 她漂亮吗？

3. 正反疑问句 Affirmative-negative question

正反疑问句是另一种提问题的方法。将谓语主要成分（动词或形容词）的肯定形式和否定形式并列起来，就可以构成正反疑问句。正反疑问句跟用"吗"提问的一般疑问句作用一样。例如：

An affirmative-negative question is another form of question made by juxtaposing the affirmative and negative forms of the main element of the predicate (the predicative verb or adjective). Such a question has the same function as a general question with the interrogative particle "吗", e.g.

① 你的宿舍大不大？　　② 你去不去教室？

③ 他学习努力不努力？

· 练习　EXERCISES ·

看图对话 Make a dialogue according to each picture

A: _____？（吗）

B: _____。

A: _____？（吗）

B: _____。

A: _____？

（多，……不……）

B: _____。

A: _____？

（远，……不……）

B: _____。

4. "有" 字句 The "有" sentence

动词 "有" 作谓语主要成分的句子常表示领有。它的否定形式是 "没有"（而不是 "不"）。正反疑问句则为 "……有没有……"。例如：

A "有" sentence is a sentence in which the verb "有" denoting possession function as the main element of the predicate. Such a sentence is made negative by preceding "有" with "没" (and never with "不"). "……有没有……" is used to build an affirmative-negative question, e.g.

① 我们学校有很多留学生。　　② 我没有同屋。

③ 宿舍里有没有空调？

· 练习 EXERCISES ·

看图进行替换练习 Do substitution drills according to each picture

A：宿舍里有电视*吗？

B：有。

A：莉莉有姐姐吗？

B：没有。

综合练习 COMPREHENSIVE EXERCISES

一、会话练习 Conversation exercise

朋友见面，互相询问对方身体、学习、生活等方面的情况。
Inquire each other about health, study, life, etc. when friends meet.

二、选用下面的副词和形容词描述一个人或一个地方 Describe a person or a place by using some of the following adverbs and adjectives

非常
很
挺……的
比较
不太
极了

大	聪明
小	漂亮
远	帅
近	高
多	马马虎虎
好	不错

三、听一听，找一找，说一说 Listen, find and speak

问题 Question

谁是保罗？

第 **8** 课　你是哪国人

LESSON 8　　　WHICH COUNTRY ARE YOU FROM

个人档案 Personal Information	
姓名（Name）	保罗
年龄（Age）	36
职业（Profession）	中学教师
国籍（Nationality）	德国
地址（Address）	北京语言大学 7 号楼 109 房间
电话（Telephone）	82307531

生词 NEW WORDS

1	哪	nǎ	代	which
2	国	guó	名	country
3	叫	jiào	动	to call
4	名字	míngzi	名	name
5	贵姓	guìxìng	名	*polite way of asking people's surname*
	贵	guì	形	expensive, honorable
6	姓	xìng	动/名	to surname; surname
7	几	jǐ	代	how many
8	位	wèi	量	*a measure word for respected persons*

9	教	jiāo	动	to teach
10	住	zhù	动	to live
11	房间	fángjiān	名	room
12	电话	diànhuà	名	telephone
13	号码	hàomǎ	名	number
14	每	měi	代	every
15	天	tiān	量	day
16	下午	xiàwǔ	名	afternoon
17	做	zuò	动	to do
18	有时候	yǒu shíhou		sometimes
19	休息	xiūxi	动	to rest
20	常常	chángcháng	副	often
21	跟	gēn	介/连	with; and
22	谁	shéi/shuí	代	who, whom
23	一起	yìqǐ	副	together
24	睡觉*	shuì jiào		to sleep
25	这儿*	zhèr	代	here
26	晚上*	wǎnshang	名	evening

● 专名 PROPER NOUNS

1	王	Wáng	a Chinese surname
2	北京语言大学	BěijīngYǔyán Dàxué	Beijing Language and Culture University
3	小雨*	Xiǎoyǔ	name of a person
4	张*	Zhāng	a Chinese surname

课文 TEXTS

1

Wáng lǎoshī: Nǐ shì nǎ guó rén?
王　老师：你 是 哪 国 人？

Bǎoluó: Wǒ shì Déguó rén.
保罗：我 是 德国 人。

Wáng lǎoshī: Nǐ jiào shénme míngzi?
王　老师：你 叫 什么 名字？

Bǎoluó: Wǒ jiào Bǎoluó. Qǐngwèn, nín guìxìng?
保罗：我 叫 保罗。 请问， 您 贵姓？ [1]

Wáng lǎoshī: Wǒ xìng Wáng.
王　老师：我 姓 王。

2

Wáng lǎoshī: Nǐ xuéxí shénme?
王　老师：你 学习 什么？

Bǎoluó: Wǒ xuéxí Hànyǔ.
保罗：我 学习 汉语。

Wáng lǎoshī: Nǐ zài nǎr xuéxí?
王　老师：你 在 哪儿 学习？

Bǎoluó: Wǒ zài Běijīng Yǔyán Dàxué xuéxí.
保罗：我 在 北京 语言 大学 学习。

Wáng lǎoshī: Nǐmen bān yǒu duōshao xuésheng?
王　老师：你们 班 有 多少 学生？

Bǎoluó: Wǒmen bān yǒu shíwǔ ge xuésheng.
保罗：我们 班 有 十五 个 学生。

Wáng lǎoshī: Jǐ wèi lǎoshī jiāo nǐmen?
王　老师：几 位 老师 教 你们？

Bǎoluó: Sān wèi lǎoshī jiāo wǒmen.
保罗： 三 位 老师 教 我们。

3 Wáng lǎoshī: Nǐ zhù nǎr?
王 老师： 你 住 哪儿？

Bǎoluó: Wǒ zhù liúxuéshēng sùshè.
保罗： 我 住 留学生 宿舍。

Wáng lǎoshī: Nǐ zhù jǐ hào lóu?
王 老师： 你 住 几 号 楼？

Bǎoluó: Wǒ zhù qī hào lóu.
保罗： 我 住 七 号 楼。

Wáng lǎoshī: Nǐ de fángjiān shì duōshao hào?
王 老师： 你 的 房间 是 多少 号？

Bǎoluó: Wǒ de fángjiān shì yāo líng jiǔ hào.
保罗： 我 的 房间 是 １０９[2] 号。

Wáng lǎoshī: Nǐ de diànhuà hàomǎ shì duōshao?
王 老师： 你 的 电话 号码 是 多少？

Bǎoluó: Wǒ de diànhuà hàomǎ shì bā èr sān líng qī wǔ sān yāo.
保罗： 我 的 电话 号码 是 ８２３０７５３１。

4 Wáng lǎoshī: Měi tiān xiàwǔ nǐ zuò shénme?
王 老师： 每 天 下午 你 做 什么？

Bǎoluó: Yǒushíhou zài sùshè xiūxi, yǒushíhou qù túshūguǎn xuéxí.
保罗： 有时候 在 宿舍 休息， 有时候 去 图书馆 学习[3]。

Wáng lǎoshī: Nǐ chángcháng gēn shéi yìqǐ xuéxí?
王 老师： 你 常常 跟 谁 一起 学习？

Bǎoluó: Wǒ gēn wǒ de Zhōngguó péngyou yìqǐ xuéxí.
保罗： 我 跟 我 的 中国 朋友 一起 学习。

注释　NOTES

1 您贵姓?

"您贵姓"是询问对方姓氏的一种客气问法。答句通常为"我姓……"，不能回答"我贵姓……"。另外，此句不用来对第三者提问，即不说"他贵姓……"。

"您贵姓" is a polite way of asking someone's surname. The answer to it is usually "我姓……", instead of "我贵姓……". Moreover, this kind of sentence can't be used to ask question to the third part, nor can one say "他贵姓……".

2 109 (yāo líng jiǔ)

在房间号码、电话号码等中间，数字"1"通常读作 yāo。

The number "1" is usually read as "yāo" in a room number or a telephone number, etc.

3 有时候去图书馆学习。

汉语中几个连用的动词（或动词结构）共用一个主语，这样的句子叫连动句。连用的动词结构顺序是固定的。本课的这种连动句，后一动词是前一动词所表达的动作的目的。

In Chinese, a sentence with verbal constructions in series is a sentence in which the predicate consists of more than one verb (or verbal construction) sharing the same subject. In a sentence of this type, the verbs or verbal constructions follow a definite and unalterable order. In the lesson this kind of sentences have two verbs, the second of which denotes the purpose of the action expressed by the first.

语法 GRAMMAR

```
1. 什么/哪儿/
   哪/谁……
2. 在……学习
3. 几/多少
4. 三位老师
```

1. 疑问句（2） Interrogative sentences (2)

用"谁、什么、哪、哪儿、几、多少"一类疑问代词提问，即构成特指疑问句。疑问代词不改变汉语句子的词序。例如：

The question of this type are such ones in which one asks questions with interrogative pronouns such as "谁，什么，哪，哪儿，几，多少", etc. The questions have the same word order as that of declarative sentences, e.g.

① 这是书。 ⇨ 这是什么？

② 我是美国人。 ⇨ 你是哪国人？

③ 我在北京大学学习。 ⇨ 你在哪儿学习？

④ 他是我朋友。 ⇨ 他是谁？

⑤ 我看书。 ⇨ 你看什么？

• 练习 EXERCISES •

就句中的画线部分提问 Ask questions about the underlined parts of the sentences

A: _____ ?

B: 这是词典。

A: _____ ?

B: 她是我同屋。

A: _____ ?

B：我去<u>邮局</u>。

A: _____ ?

B：我叫<u>小雨</u>*。

A: _____ ?

B：我姓<u>张</u>*。

A: _____ ?

B：他是<u>法国</u>人。

A: _____ ?

B：她<u>在图书馆学习</u>。

A: _____ ?

B：他<u>在房间睡觉</u>*。

A: _____ ?

B：我说"<u>这儿*离天安门比较远</u>"。

2. 介词结构 The prepositional construction

介词"在""跟"等与它的宾语组成介词结构，常用在动词前边作状语。例如：

The preposition "在" or "跟" etc. and their objects form a prepositional construction that is usually used before the predicative verb as an adverbial adjunct, e.g.

① 我在北京大学学习。　　② 他跟我一起去教室。

⚠ **注意：** 由"在""跟"组成的介词结构不能用在动词后，不能说"他学习在北京大学"。

NB: The prepositional construction with "在" or "跟" never comes after the verb it modifies and it is incorrect to say "他学习在北京大学".

· 练习 EXERCISES ·

连词成句 Make a sentence with the given words

❶ 在 我 房间 休息 下午　　⇨ _____

❷ 他 宿舍 电视 看 在 晚上*　⇨ _____

❸ 保罗 朋友 跟 一起 啤酒 喝　⇨ _____

❹ 莉莉 同屋 跟 书店 去 一起　⇨ _____

3. "几"和"多少"　"几" and "多少"

"几"和"多少"都是用来提问数目的。如果估计数目在 10 以下，一般用"几"提问；"多少"可以用来提问任何数目。

"几" and "多少" are both used to ask about numbers. "几" is usually used with respect to a number smaller than ten. "多少" can be used for any number.

"几"替代的是数词，所以在"几"和它修饰的名词之间要加上量词；"多少"的后面可以加量词，也可以不加。例如：

"几" takes the place of numerals, so there must be a measure word between "几" and the noun it modifies. "多少" can be used with or without a measure word, e.g.

① 几位老师教你们？　　② 你们班有多少（个）学生？

③ 你的电话号码是多少？

· 练习 **EXERCISES** ·

根据图示完成会话 Complete the dialogues according to the pictures

A: 小雨有＿＿＿妹妹？

B: 小雨有＿＿＿妹妹。

A: 办公室里有＿＿＿老师？

B: 办公室里有＿＿＿老师。

A: 他的房间号是＿＿＿＿？

B: 他的房间号是＿＿＿＿。

A: 莉莉有＿＿＿词典？

B: 莉莉有＿＿＿词典。

A: 他的电话号码是＿＿＿＿？

B: ＿＿＿＿＿＿＿＿＿＿。

4. 数量短语作定语 Quantitative phrases as attributive

在现代汉语中，数词一般不能单独作名词的定语，中间必须加量词。例如：

In modern Chinese, a numeral alone can't function as an attributive but must be combined with a measure word inserted between the number and the noun it modifies, e.g.

① 我有一个姐姐。　　② 他们班有三位老师。

③ 她买一本词典。　　④ 两杯咖啡多少钱？（第4课）

名词都有自己特定的量词，不能随便组合。我们已学过的量词有"个""本""瓶""杯""位"等。"个"使用范围较广，可以用于指人、物、单位等的名词之前；"位"用于指人的名词前，含敬意；"本"通常用在书籍一类的名词前。"瓶""杯"分别用于表示以瓶或杯作为容器的物品的名词前。

In Chinese, every noun has its specific measure word and can't go freely with others. We have already learned the measure words "个", "本", "瓶", "杯", "位", etc. "个" is the most extensively used. It can be placed before a noun denoting a person, a thing or a unit. "位" is placed before a noun denoting a person, implying honor. "本" is placed before nouns denoting books and such like. "瓶" and "杯" are used respectively before nouns denoting things contained in bottles or glasses.

· 练习　EXERCISES ·

用"个""位""本""瓶""杯"填空 Fill in the blanks with "个", "位", "本", "瓶" and "杯"

❶ 一 ＿＿＿ 学生　　❷ 两 ＿＿＿ 书

❸ 三 ＿＿＿ 哥哥　　❹ 四 ＿＿＿ 词典

❺ 五 ＿＿＿ 老师　　❻ 六 ＿＿＿ 矿泉水

❼ 七 ＿＿＿ 牛奶　　❽ 八 ＿＿＿ 朋友

综合练习 COMPREHENSIVE EXERCISES

一、根据所给材料组织会话 Make a dialogue according to the given information

1.

朴英子（Piáo Yīngzǐ, *name of a person*）是韩国人，在北京大学学习汉语。她们班有十二个学生：五个男学生，七个女学生。两位老师教他们。朴英子学习很努力，成绩挺不错。

朴英子住在留学生宿舍，她的房间号是205，她的电话号码是62752114。

会话题目 Topic：你是哪国人？

会话角色 Roles：朴英子和一个中国学生。

2.

王先生今天（jīntiān, today）去看电影（diànyǐng, movie）。这个电影是中国电影，名字叫《你好，北京！》。他跟他的中国朋友一起去。

王先生的同屋李先生下午去商店。他要买巧克力（qiǎokèlì, chocolate）。他不喜欢（xǐhuan, to like）吃巧克力。他的女朋友（nǚpéngyou, girlfriend）喜欢吃巧克力。

会话题目 Topic：今天下午你做什么？

会话角色 Roles：王先生和李先生。

二、听后填空 Listen to the recording, and then fill in the blanks

姓名（Name）：	田中太郎
国籍（Nationality）：	_____
职业（Profession）：	_____
住址（Address）：	_____
电话（Telephone）：	_____

第9课 你家有几口人

LESSON 9   HOW MANY PEOPLE ARE THERE IN YOUR FAMILY

1	想	xiǎng	动	to miss, to think
2	家	jiā	名	home, family
3	当然	dāngrán	副	of course
4	口	kǒu	量/名	*a measure word for people*; mouth
5	兄弟	xiōngdì	名	brother
6	姐妹	jiěmèi	名	sisters
7	独生女	dúshēngnǚ	名	the only daughter
8	父亲	fùqin	名	father
9	工作	gōngzuò	动/名	to work; work, job

10	医生	yīshēng	名	doctor
11	母亲	mǔqin	名	mother
12	公司	gōngsī	名	company
13	职员	zhíyuán	名	staff member
14	记者	jìzhě	名	journalist
15	名片	míngpiàn	名	name card
16	父母	fùmǔ	名	parents
17	今年	jīnnián	名	this year
18	多	duō	代	(*used in questions*) to what extent
19	年纪	niánjì	名	age
20	岁	suì	量	year (of age)
21	秘密	mìmì	名/形	secret; confidential
22	孩子	háizi	名	child, children
23	儿子	érzi	名	son
24	真	zhēn	副	very
25	售货员*	shòuhuòyuán	名	shop assistant
26	经理*	jīnglǐ	名	manager
27	司机*	sījī	名	driver
28	爷爷*	yéye	名	grandfather
29	奶奶*	nǎinai	名	grandmother

● 专名 **PROPER NOUNS**

| 1 | 小叶 | Xiǎoyè | *name of a person* |
| 2 | 直美 | Zhíměi | *name of a person* |

课文 TEXTS

1

Xiǎoyè: Zhíměi, nǐ xiǎng bu xiǎng jiā?
小叶：直美，你 想 不 想 家？

Zhíměi: Dāngrán xiǎng.
直美：当然 想。

Xiǎoyè: Nǐ jiā yǒu jǐ kǒu rén?
小叶：你 家 有 几 口 人？

Zhíměi: Wǒ jiā yǒu wǔ kǒu rén.
直美：我 家 有 五 口 人。

Xiǎoyè: Nǐ jiā yǒu shénme rén?
小叶：你 家 有 什么 人？

Zhíměi: Bàba、māma、liǎng ge gēge hé wǒ. Nǐ yǒu méiyǒu xiōngdì
直美：爸爸、妈妈、两 个 哥哥 和 我。你 有 没有 兄弟

jiěmèi?
姐妹？

Xiǎoyè: Wǒ méiyǒu xiōngdì jiěmèi, wǒ shì dúshēngnǚ.
小叶：我 没有 兄弟 姐妹，我 是 独生女。

2

Xiǎoyè: Nǐ fùqin zài nǎr gōngzuò?
小叶：你 父亲 在 哪儿 工作？

Zhíměi: Tā zài yīyuàn gōngzuò, tā shì yīshēng.
直美：他 在 医院 工作，他 是 医生。

Xiǎoyè: Nǐ mǔqin ne?
小叶：你 母亲 呢？

Zhíměi: Tā bù gōngzuò.
直美： 她 不 工作。

Xiǎoyè: Nǐ liǎng ge gēge zuò shénme gōngzuò?
小叶： 你 两 个 哥哥 做 什么 工作?

Zhíměi: Tāmen dōu shì gōngsī zhíyuán. Nǐ shì zuò shénme gōngzuò de?
直美： 他们 都 是 公司 职员。你 是 做 什么 工作 的?

Xiǎoyè: Wǒ shì jìzhě, zhè shì wǒ de míngpiàn.
小叶： 我 是 记者，这 是 我 的 名片。

3 Xiǎoyè: Nǐ fùmǔ jīnnián duō dà niánjì?
小叶： 你 父母 今年 多 大 年纪?

Zhíměi: Wǒ fùqin jīnnián liùshí suì, wǒ mǔqin jīnnián wǔshíbā.
直美： 我 父亲 今年 六十 岁，我 母亲 今年 五十八[1]。

Xiǎoyè: Nǐ gēge jīnnián duō dà?
小叶： 你 哥哥 今年 多 大?

Zhíměi: Dà gē sānshí'èr, èr gē èrshíjiǔ.
直美： 大 哥 三十二，二 哥 二十九。[2]

Xiǎoyè: Nǐ ne?
小叶： 你 呢?

Zhíměi: Zhè shì mìmì.
直美： 这 是 秘密。

4 Xiǎoyè: Zhè shì shéi de háizi?
小叶： 这 是 谁 的 孩子?

Zhíměi: Zhè shì wǒ dà gē de érzi.
直美： 这 是 我 大哥 的 儿子。

Xiǎoyè: Jīnnián jǐ suì?
小叶： 今年 几 岁?

Zhímǐi: Jīnnián wǔ suì.
直美： 今年 五 岁。

Xiǎoyè: Zhè háizi zhēn kě'ài.
小叶： 这 孩子 真 可爱。[3]

注释 NOTES

1 我母亲今年五十八。

在这里，数词"五十八"直接作谓语。当上下文内容明确时，"……岁"中的"岁"可以省略。但是，如果是"十岁"以下，"岁"不能省略。

In this sentence, the numeral "五十八" functions as the predicate. When the context is clear, "岁" in "……岁" can be omitted. But if the age mentioned is inferior to ten, "岁" can't be omitted.

2 大哥三十二，二哥二十九。

"大哥（大姐）"是对家长最年长的哥哥（姐姐）的称呼。其次为"二哥（二姐）"。依此类推。

"大哥（大姐）" is used to address the eldest brother (sister) in a family. "二哥（二姐）" is used to address the second eldest one, on the analogy of this.

3 这孩子真可爱。

指示代词"这""那"后可直接跟名词。

The demonstrative pronouns "这" and "那" can be directly followed by nouns.

语法 GRAMMAR

> 1. 几口人？
> 2. 做什么工作？
> 3. 多大？几岁？

1. 询问家庭人口 Asking about the number of people in a family

在汉语中，"几口人"用来询问家庭人口。其他场合询问人数时，量词可以用"个""位"等。例如：

In Chinese, "几口人" is used to ask about the number of people in a family. In other occasions, when the number of people is asked, the measure word "个" or "位" can be used, e.g.

> ① 你家有几口人？　　② 他家有几口人？
>
> ③ 你们班有多少个学生？　　④ 你们班有几位老师？

· 练习　EXERCISES ·

就句中的画线部分提问 Ask questions about the underlined parts of the sentences

我哥哥家　　　　　　王老师家　　　　　　我姐姐家

A: _____?　　A: _____?　　A: _____?

B: _____。　　B: _____。　　B: _____。

2. 询问职业 Asking about professions

在汉语中，一般用"……做什么工作"或"……是做什么工作的"来询问职业，答句通常为"……是……"。例如：

In Chinese, when asking about professions, one usually uses "……做什么工作" or "……是做什么工作的". The answer to it is "……是……", e.g.

① A：他做什么工作？　　② A：你是做什么工作的？

　 B：他是大夫。　　　　　 B：我是记者。

· 练习　EXERCISES ·

看图进行问答（询问职业）　Make questions according to the pictures, then give the answers (ask about professions)

售货员*　　　　　　　　经理*　　　　　　　　司机*

A：＿＿＿＿＿＿？　　A：＿＿＿＿＿＿？　　A：＿＿＿＿＿＿？

B：＿＿＿＿＿＿。　　B：＿＿＿＿＿＿。　　B：＿＿＿＿＿＿。

3. 询问年龄 Asking about ages

在汉语中，询问年长者的年龄时，一般用"您多大年纪"；询问 10 岁以内的孩子的年龄时，一般用"你几岁"；询问成年人的年龄时，常用"你多大"。例如：

In Chinese, when asking about people's ages, one can use "您多大年纪" for the elders, "你几岁" for the children who are less than ten years old and "你多大" for adults, e.g.

① 你爷爷*今年多大年纪？　② 你儿子今年几岁？

③ 你今年多大？

• 练习　EXERCISES •

看图进行问答（询问年龄）　Make questions according to the pictures, then give the answers (ask about age)

小叶的爷爷和奶奶*

A: ....?

B: ....。

直美的哥哥

A: ....?

B: ....。

保罗的女儿

A: ....?

B: ....。

综合练习 COMPREHENSIVE EXERCISES

一、根据所给材料组织会话 Make dialogues according to the given information

1.

北京新安书店
张 明 经理
电话：82303177

李 朋 医生
北京语言大学医院
电话：63096432

会话题目 Topic：您在哪儿工作?

会话角色 Roles：张明和李朋。

2.

> 王小朋今年五岁，他家有四口人：爸爸、妈妈、弟弟和他。他爸爸今年三十五岁，在公司工作，是职员。他妈妈今年三十二岁，是老师。他弟弟今年也五岁，他们是双胞胎（shuāngbāotāi, twins）。
>
> 王小朋喜欢（xǐhuan, to like）看动画片（dònghuàpiàn, cartoon），喜欢吃冰淇淋（bīngqílín, ice-cream），喜欢喝可口可乐。王小朋每天和弟弟王小友一起去幼儿园（yòu'éryuán, kindergarten）。

会话题目 Topic：你家有几口人?

会话角色 Roles：幼儿园的老师和王小朋。

⏩ 二、分别对下面三张图中的人物进行介绍 Describe the people in the following pictures respectively

⏩ 三、听后选择正确答案 Listen and choose the correct answer to each question 💿

1. 王老师家有几口人?

    A. 三口人   B. 四口人   C. 十口人

2. 王老师的爱人今年多大年纪?

    A. 四十一岁   B. 四十七岁   C. 四十岁

3. 王老师的大女儿是做什么工作的?

    A. 售货员   B. 老师   C. 大夫

4. 王老师家有什么人?

    A. 王老师、王老师的爱人、一个儿子、一个女儿

    B. 王老师、王老师的爱人、两个儿子

    C. 王老师、王老师的爱人、两个女儿

 生词 NEW WORDS

1	现在	xiànzài	名	now
2	点	diǎn	量	o'clock
3	刻	kè	量	quarter
4	早饭	zǎofàn	名	breakfast
5	半	bàn	数	half
6	时候	shíhou	名	when
7	上课	shàng kè		to attend class
8	从……到……	cóng……dào……		from…to…

9	上午	shàngwǔ	名	morning
10	今天	jīntiān	名	today
11	月	yuè	名	month
12	号（日）	hào (rì)	量	date
13	星期	xīngqī	名	week
14	星期天（星期日）	xīngqītiān (xīngqīrì)	名	Sunday
15	吧	ba	助	*a particle forming a leading question which asks for confirmation of supposition*
16	咱们	zánmen	代	we, us
17	啊	a	助	*a particle used at the end of a sentence to express enthusiasm*
18	出发	chūfā	动	to set out
19	行	xíng	动/形	OK; capable
20	见面	jiàn miàn		to meet
21	差	chà	动	to be less than
22	分	fēn	量	minute
23	门口	ménkǒu	名	entrance
24	等	děng	动	to wait
25	早上*	zǎoshang	名	morning
26	起*	qǐ	动	to get up, to rise
27	床*	chuáng	名	bed
28	下课*	xià kè		to finish class
29	午饭*	wǔfàn	名	lunch
30	晚饭*	wǎnfàn	名	supper
31	年*	nián	量	year

32	大前天*	dàqiántiān	名	three days ago
33	前天*	qiántiān	名	the day before yesterday
34	昨天*	zuótiān	名	yesterday
35	明天*	míngtiān	名	tomorrow
36	后天*	hòutiān	名	the day after tomorrow
37	大后天*	dàhòutiān	名	three days from now
38	生日*	shēngrì	名	birthday

课文 TEXTS

1

Xiǎoyè: Xiànzài jǐ diǎn?
小叶：现在 几 点？

Lìli: Xiànzài qī diǎn yí kè.
莉莉：现在 七 点 一 刻。

Xiǎoyè: Nǐ jǐ diǎn chī zǎofàn?
小叶：你 几 点 吃 早饭？

Lìli: Wǒ qī diǎn bàn chī zǎofàn.
莉莉：我 七 点 半 吃 早饭。

Xiǎoyè: Nǐ shénme shíhou shàng kè?
小叶：你 什么 时候 上 课？

Lìli: Wǒ cóng shàngwǔ bā diǎn dào shí'èr diǎn shàng kè.
莉莉：我 从 上午 八 点 到 十二 点 上 课。

2

Lìli: Jīntiān jǐ yuè jǐ hào?
莉莉：今天 几 月 几 号？

Xiǎoyè: Jīntiān qīyuè èrshí'èr hào.
小叶：今天 七月 二十二 号。

Lìli: Jīntiān xīngqī jǐ?

莉莉：今天 星期 几？

Xiǎoyè: Jīntiān xīngqīsān.

小叶：今天 星期三。

Lìli: Èrshíwǔ hào shì xīngqītiān ba?

莉莉：二十五 号 是 星期天 吧？ [1]

2015年

Xiǎoyè: Èrshíwǔ hào bú shì xīngqītiān, shì xīngqīliù.

小叶：二十五 号 不 是 星期天，是 星期六。

3 Xiǎoyè: Xīngqītiān zánmen qù Yíhé Yuán, zěnmeyàng?

小叶：星期天 咱们 去 颐和 园，怎么样？

Lìli: Hǎo a! Shénme shíhou chūfā?

莉莉：好 啊！ [2] 什么 时候 出发？

Xiǎoyè: Shàngwǔ jiǔ diǎn, xíng ma?

小叶：上午 九 点，行 吗？

Lìli: Xíng. Zánmen jǐ diǎn jiàn miàn?

莉莉：行。 咱们 几 点 见 面？

Xiǎoyè: Chà wǔ fēn jiǔ diǎn, wǒ zài xuéxiào ménkǒu děng nǐ.

小叶：差 五 分 九 点，我 在 学校 门口 等 你。

注释 NOTES

1 二十五号是星期天吧?

语气助词 "吧" 常表示不肯定的语气，如果对某件事有了一定的估计，但还不敢肯定时，就在句尾用 "吧"。

The modal particle "吧" often gives the statement a tone of uncertainty. If one forms estimation of something, and yet one is not very sure whether it is true or not, one can use "吧" at the end of the sentence.

2 好啊!

这里的"啊"是助词,读轻声,表示肯定、赞同的语气。

"啊" here is a modal particle, showing affirmation, approval or consent, and is pronounced in a neutral tone.

语法 GRAMMAR

```
1. 现在七点十分。
2. 点、分、刻
3. 年、月、日、星期
```

1. 名词谓语句 Sentences with a nominal predicate

由名词、名词结构、数量短语等作谓语主要成分的句子就叫名词谓语句。名词谓语句常用来表示时间、年龄、籍贯、数量等。肯定句一般不用动词"是",但否定句必须在名词谓语前加"不是"。例如:

A sentence in which the main element of the predicate is a noun, a nominal construction or a quantitative phrase is called a sentence with a nominal predicate. Such a sentence is mainly used to show time, one's age or native place, quantity, etc. In the affirmative form of the sentences of this type, the verb "是" is not used. But "不是" has to be added before the predicative noun to make the sentence negative, e.g.

① 现在七点十分。　　　　② 今天十七号。

③ 二十号不是星期天。

2. 钟点的读法 Ways of telling the time

汉语中钟点的读法一般有下列几种:

In Chinese, the ways of telling the time can be classified as follows:

8:00	八点
8:05	八点五分/八点零五（分）
8:15	八点一刻/八点十五（分）
8:30	八点半/八点三十（分）
8:55	八点五十五（分）/差五分九点

当分钟是 10 以下（包括 10）时，"分"一定要说，或者直接说"零……"；当分钟是 10 以上时，"分"可说可不说。

When the minutes are inferior or equal to ten, one must say "分" or directly say "零……"; when the minutes are superior to ten, "分" can be omitted or not.

· 练习 EXERCISES ·

看图进行替换练习 Do substitution drills according to the pictures

(1) 例 Example

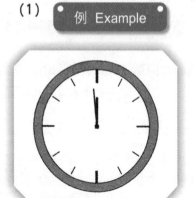

A：现在几点？

B：现在<u>12</u>点。

  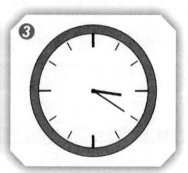

(2) 例 Example

A：保罗早上*几点起*床*？

B：保罗6:45 起床。

A：他什么时候吃早饭？

B：他7:15 吃早饭。

上课

下课*

吃午饭*

学习

吃晚饭*

睡觉

3. 年*、月、日及星期的表示法 Ways of expressing year, month, date and week

汉语年份的读法是直接读出每个数字。例如：

In Chinese, the way of telling a year is simply to read every figure, e.g.

2005年 → 二〇〇五年

十二个月份依次是：

The names of twelve months of a year are:

一月	二月	三月	四月	五月	六月
七月	八月	九月	十月	十一月	十二月

一周的七天是：

The names of seven days of a week are:

星期一　星期二　星期三　星期四　星期五　星期六　星期天（日）

"日"的读法是在数字后直接加上"日"。例如：

The ways of telling the date is just to add "日" after the numbers, e.g.

一日 二日……三十一日

汉语里的"某一天"既可以用"日"也可以用"号"来表示。口语中常用"号"，书面语常用"日"。

In Chinese, "some day" can be expressed by both "日" and "号". "号" is usually used in oral Chinese and "日" in written Chinese.

汉语中时间的顺序是从大到小：

In Chinese, the order when telling the time is from the biggest to the smallest:

年	月	日	（星期）	上午	点	分
year	month	date	(week)	in the morning	hour	minute

例如：

E.g.

二〇一五年七月十日上午八点二十分

· 练习 EXERCISES ·

1. 看图进行替换练习 Do substitution drills according to the pictures

例 Example

今天

A：今天几月几号？

B：今天7月22号。

A：今天星期几？

B：今天星期三。

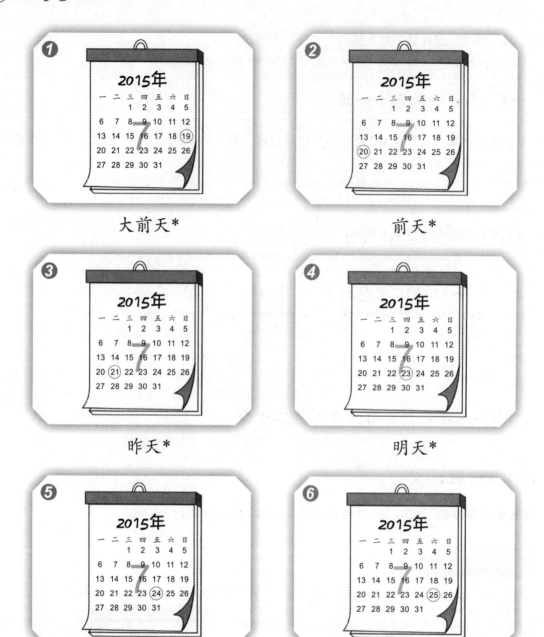

① 大前天*

② 前天*

③ 昨天*

④ 明天*

⑤ 后天*

⑥ 大后天*

2. 完成会话 Complete the following dialogue

A: 你的生日*是几月几号？

B: ＿＿＿＿＿＿＿＿＿＿＿＿＿＿。

综合练习 COMPREHENSIVE EXERCISES

➡️ 一、根据所给材料组织会话 Make dialogues according to the given information

1.

> **通　知**（tōngzhī, notice）
>
> 　　太极拳（tàijíquán, shadow boxing）学习班4月27日开始
> （kāishǐ, to begin），5月15日结束（jiéshù, to close）。每星期
> 一、三、五下午 4:15–5:45。
> 　　4月18日上午8:00–11:30在留学生办公室报名（bào míng,
> to sign up）。
>
> 　　　　　　　　　　　　　　　　　　　　留学生办公室
> 　　　　　　　　　　　　　　　　　　　　2015 年 4 月 17 日

会话情景 Situation：你看到这个通知，告诉你的朋友。

会话角色 Roles：你和你的朋友。

2.

> 　　小王今天下午跟他的中国朋友小李一起去书店。小王
> 12点半吃午饭，小李 11 点 45 吃午饭。小王和小李下午两
> 点出发。小王 1 点 55 在宿舍楼门口等小李。

会话情景 Situation：两个人说时间。

会话角色 Roles：小王和小李。

二、自述 Give an account of yourself

我的一天

我每天6:30起床，……

_____

_____

_____

_____

_____

_____

_____

三、听后复述 Listen and retell what you've heard

生词 New Words

问	wèn	动	to ask
小明	Xiǎomíng	专名	*name of a person*
回答	huídá	动	to answer

第11课 办公楼在教学楼北边

LESSON 11 THE TEACHING BUILDING IS TO THE NORTH OF THE ADMINISTRATIVE BUILDING

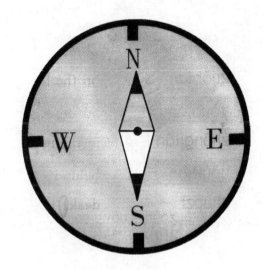

生词 NEW WORDS

1	里边	lǐbian	名	in
2	教学楼	jiàoxuélóu	名	teaching building
3	办公楼	bàngōnglóu	名	administrative building
4	北边	běibian.	名	north
5	西边	xībian	名	west
6	南边	nánbian	名	south
7	附近	fùjìn	名	nearby, close to
8	饭馆	fànguǎn	名	restaurant

9	东边	dōngbian	名	east
10	还	hái	副	still, also
11	电影院	diànyǐngyuàn	名	cinema
	电影	diànyǐng	名	movie
12	对面	duìmiàn	名	opposite side
13	药店	yàodiàn	名	drugstore
14	旁边	pángbiān	名	beside
15	超市	chāoshì	名	supermarket
16	们	men	尾	*a suffix denoting a plural form*
17	照片	zhàopiàn	名	photo
18	左边	zuǒbian	名	left
19	右边	yòubian	名	right
20	中间	zhōngjiān	名	middle
21	后边	hòubian	名	behind
22	桌子	zhuōzi	名	desk, table
23	上边	shàngbian	名	upside
24	台灯	táidēng	名	desk lamp
25	张	zhāng	量	*a measure word for desks, tables, paper, etc.*
26	男朋友	nánpéngyou	名	boyfriend
	男	nán	形	male
27	下边	xiàbian	名	downside
28	抽屉	chōuti	名	drawer
29	块	kuài	量	piece, lump
30	巧克力	qiǎokèlì	名	chocolate
31	前边*	qiánbian	名	front

32	鞋*	xié	名	shoe
33	眼镜*	yǎnjìng	名	glasses
34	闹钟*	nàozhōng	名	alarm clock

课文 TEXTS

1

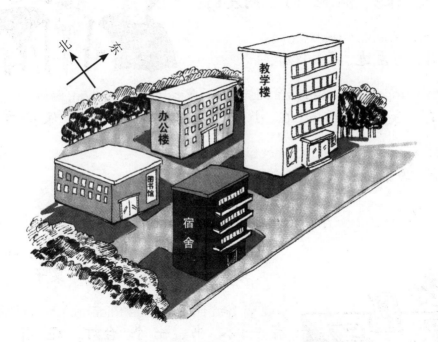

Wǒmen xuéxiào lǐbian yǒu jiàoxuélóu、bàngōnglóu、túshūguǎn hé liúxuéshēng
我们　学校　里边　有　教学楼、办公楼、图书馆　和　留学生

sùshèlóu. Bàngōnglóu zài jiàoxuélóu běibian, túshūguǎn zài bàngōnglóu xībian,
宿舍楼。　办公楼　在　教学楼　北边，　图书馆　在　办公楼　西边，

líuxuéshēng sùshèlóu zài túshūguǎn nánbian.
留学生　宿舍楼　在　图书馆　南边。

2 Xuéxiào fùjìn yǒu hěn duō fànguǎn hé shāngdiàn, dōngbian hái yǒu yí ge
学校 附近 有 很 多 饭馆 和 商店， 东边 还 有 一 个

diànyǐngyuàn. Diànyǐngyuàn duìmiàn shì yí ge yàodiàn, yàodiàn pángbiān shì
电影院。 电影院 对面 是 一 个 药店， 药店 旁边 是

yí ge chāoshì.
一 个 超市。

3
Zhè shì Bǎoluó hé tā de péngyoumen
这 是 保罗 和 他 的 朋友们

de zhàopiàn. Zuǒbian shì Xiǎoyǔ,
的 照片。 左边 是 小雨，

yòubian shì Yīngnán, Xīméng zài Xiǎoyǔ hé Yīngnán zhōngjiān. Bǎoluó zài nǎr?
右边 是 英男， 西蒙 在 小雨 和 英男 中间。 保罗 在 哪儿?

Bǎoluó zài Xīméng hé Yīngnán hòubian.
保罗 在 西蒙 和 英男 后边。

4

Zhè shì Lìli de zhuōzi. Zhuōzi shàngbian
这 是 莉莉 的 桌子。 桌子 上边

yǒu yì běn shū、 yí ge táidēng, hái yǒu yì zhāng
有 一 本 书、 一 个 台灯， 还 有 一 张

Lìli nánpéngyou de zhàopiàn. Zhuōzi xiàbian shì
莉莉 男朋友 的 照片。 桌子 下边 是

Lìli de shūbāo. Chōuti li yǒu shénme? Chōuti
莉莉 的 书包。 抽屉 里 有 什么? 抽屉

li yǒu yí kuài qiǎokèlì.
里 有 一 块 巧克力。

语法 GRAMMAR

1. 在、有、是
2. 西边、旁边……

1. 存在句 Sentences indicating existence

动词"在""有""是"都可表示存在。它们作谓语的主要成分时，句子的语序分别是：
The verbs "在", "有" and "是" indicate existence. When they serve as the main elements of the predicate, the word orders of sentences are as follows:

某人（物）——在——某处
somebody (something) — "在" — somewhere

某处——有（是）——某人（物）
somewhere — "有（是）" — somebody (something)

例如：
E.g.

① 保罗在西蒙后边。　　② 学校附近有很多饭馆和商店。

③ 桌子下边是莉莉的书包。

用"有"表示存在的句子跟用"是"表示存在的句子有以下两点不同：
There are two points of difference between "是" and "有" when both indicate existence:

（1）用"有"的句子只说明某处存在某人或某物，用"是"的句子是已知某处存在某人或某物，不过要进一步说明是谁或是什么。

Sentences with "有" merely tell where somebody or something is, whereas sentences with "是" tell not only where somebody or something is but also whom somebody is or what something is.

（2）用"有"的句子宾语是不确指的，用"是"的句子宾语可以是确指的，也可以是不确指的。因此，不能说"图书馆对面有我们学校"，应该说"图书馆对面是我们学校"。

The object of a sentence with "有" is usually indefinite while the object of a sentence with "是" may be either definite or indefinite. So in Chinese "Our school stands opposite to the library" should be "图书馆对面是我们学校" instead of "图书馆对面有我们学校".

· 练习 EXERCISES ·

1. 看图完成会话 Complete the dialogues according to the pictures

有

A: _____?

B: 学校里边有医院。

A: 附近有药店吗?

B: _____。

A: 桌子上有照片吗?

B: _____。

A: _____?

B: 田中旁边没有人。

是

A: _____?

B: 莉莉前边*是直美。

A: _____?

B: 七号楼南边是几号楼?

A: 七号楼南边是几号楼?

B: _____。

A: _____?

B: 床下边是保罗的鞋*。

A: _____?

B: 小雨房间对面是姐姐的房间。

在

安娜　莉莉　直美

A: 莉莉在哪儿?

B: _____。

A: 邮局在哪儿?

B: _____。

A：眼镜*在哪儿？

B：_____。

A：闹钟*在哪儿？

B：_____。

2. 用 "在" "有（没有）" "是" 填空 Fill in the blanks with "在", "有（没有）"or "是"

A：我的眼镜 _____ 哪儿？

B：_____ 桌子上吧。

A：不 _____ 桌子上。

B：床上 _____ 吗？

A：床上也 _____。

B：咦（yí, why, well），你眼睛前边 _____ 什么？

A：啊！_____ 这儿！

2. 方位词　Nouns of locality

　　表示方位的名词叫方位词。例如：前边、后边，里边、外边，旁边、中间等。这些方位词跟一般名词一样，可以作主语、宾语、定语，也可以受定语的修饰。例如：

The most commonly used nouns of locality are "前边", "后边", "里边", "外边", "旁边" and "中间", etc. Like ordinary nouns, they may serve as a subject, an object, an attributive of a sentence, and modified by an attributive, e.g.

① 左边是小雨，右边是英男。　② 图书馆楼在办公楼西边。

③ 上边的书是我的。　④ 学校东边有一个电影院。

方位词作定语，后边一般要用"的"，如"上边的书""右边的房间"。如果接受定语的修饰，前边可以不用"的"，如"学校东边""小雨左边"。

When used attributively, a noun of locality usually takes "的" after it, as in "上边的书", "右边的房间". But "的" is not used when the noun of locality is preceded by an attributive, as in "学校东边", "小雨左边".

综合练习 COMPREHENSIVE EXERCISES

一、介绍一下你和你周围人或物的位置 Describe the position of you and the people or things around you

> 我前边是……

二、看图组织会话 Make dialogues according to the pictures

1.

会话情景 Situation：你住在三号楼，你朋友向你了解三号楼的位置和周围的环境。

会话角色 Roles：你和你朋友。

2.

会话情景 Situation：这是你们班同学和老师一起照的照片，你向朋友介绍照片上的人。

会话角色 Roles：你和你朋友。

三、听后填图 Listen and fill in the blanks in the picture

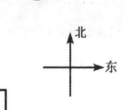

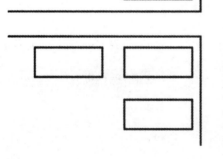

（1）小雨家　　　　（2）电影院　　　　（3）眼镜店　　　　（4）中国银行

第12课 要红的还是要蓝的

LESSON 12 WHAT DO YOU WANT, THE RED ONE OR THE BLUE ONE

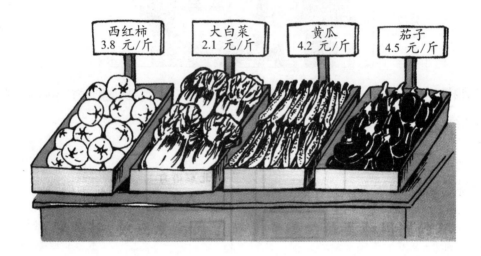

西红柿
3.8 元/斤

大白菜
2.1 元/斤

黄瓜
4.2 元/斤

茄子
4.5 元/斤

生词 NEW WORDS

1	支	zhī	量	a measure word for pens, pencils, etc.
2	圆珠笔	yuánzhūbǐ	名	ball-point pen
3	红	hóng	形	red
4	还是	háishi	连	or
5	蓝	lán	形	blue
6	样	yàng	量	kind
7	别的	bié de		others
8	了	le	助	*a particle indicating that the situation has changed*
9	卖	mài	动	to sell

10	再	zài	副	more, again
11	听	tīng	量	tin, can
12	一共	yígòng	副	altogether
13	给	gěi	动	to give
14	零钱	língqián	名	small change
15	找（钱）	zhǎo (qián)	动	to give (change)
16	零（○）	líng	数	zero, and
17	数	shǔ	动	to count
18	橘子	júzi	名	orange
19	斤	jīn	量	*jin* (half kilogram)
20	东西	dōngxi	名	thing
21	甜	tián	形	sweet
22	尝	cháng	动	to taste
23	西红柿	xīhóngshì	名	tomato
24	怎么	zěnme	代	how
25	新鲜	xīnxiān	形	fresh
26	摘	zhāi	动	to pick
27	酸*	suān	形	sour
28	辆*	liàng	量	*a measure word for bicycles, cars, etc.*
29	自行车*	zìxíngchē	名	bicycle
30	铅笔*	qiānbǐ	名	pencil
31	苹果*	píngguǒ	名	apple
32	凉*	liáng	形	cool
33	热*	rè	形	hot
34	短*	duǎn	形	short

● 专名　**PROPER NOUN**

| 青岛 | Qīngdǎo | *name of a Chinese city* |

课文 TEXTS

1 在商店 In a shop

Bǎoluó: Mǎi liǎng zhī yuánzhūbǐ.
保罗：买　两　支　圆珠笔。

Shòuhuòyuán: Yào hóng de háishi yào lán de?
售货员：要　红　的　还是要蓝的？

Bǎoluó: Yí yàng yì zhī.
保罗：一　样　一　支。[1]

Shòuhuòyuán: Hái yào bié de ma?
售货员：还　要　别　的　吗？

Bǎoluó: Bú yào le.
保罗：不　要　了。[2]

2 Bǎoluó: Qǐngwèn, nǎr mài píjiǔ?
保罗：请问，　哪儿　卖　啤酒？[3]

Shòuhuòyuán: Nàr mài.
售货员：那儿　卖。

Bǎoluó: Yǒu Qīngdǎo píjiǔ ma?
保罗：有　青岛　啤酒　吗？

Shòuhuòyuán: Yǒu, yào jǐ píng?
售货员：有，　要　几　瓶？

Bǎoluó: Yào sì píng, zài yào liǎng tīng Kěkǒu-kělè.
保罗：要 四 瓶，再要 两 听 可口可乐。

3

Bǎoluó: Yígòng duōshao qián?
保罗：一共 多少 钱？

Shòuhuòyuán: Shíjiǔ kuài sì.
售货员：十九 块 四。

Bǎoluó: Gěi nǐ qián.
保罗：给 你 钱。[4]

Shòuhuòyuán: Nín yǒu língqián ma?
售货员：您 有 零钱 吗？

Bǎoluó: Méiyǒu.
保罗：没有。

Shòuhuòyuán: Nín zhè shì wǔshí kuài, zhǎo nín sānshí kuài líng liù máo,
售货员：您 这是五十 块， 找 您 三十 块 零 六 毛，

qǐng shǔ yíxiàr.
请 数 一下儿。

4 在市场 In a market

Zhíměi: Júzi duōshao qián yì jīn?
直美：橘子 多少 钱 一 斤？

Mài dōngxi de: Dà de sān kuài qián yì jīn, xiǎo de shí kuài qián
卖 东西 的：大 的 三 块 钱 一 斤，小 的 十 块 钱

sì jīn.
四 斤。

Zhíměi: Tián bu tián?
直美：甜 不 甜？

Mài dōngxi de: Nín cháng yíxiàr, bù tián bú yào qián.
卖 东西 的：您 尝 一下儿，不 甜 不 要 钱[5]。

- -

Zhíměi: Xīhóngshì zěnme mài?
直美：西红柿 怎么 卖[6]？

Mài dōngxi de: Yì jīn sān kuài bā.
卖 东西 的：一 斤 三 块 八。

Zhíměi: Xīnxiān bu xīnxiān?
直美：新鲜 不 新鲜？

Mài dōngxi de: Zhè shì jīntiān zǎoshang zhāi de, xīnxiān jí le.
卖 东西 的：这 是 今天 早上 摘 的，新鲜 极 了。

注释　NOTES

1 一样一支。

这里的"一样"表示"每一种"，其后的数量词表示需要的数量。
"一样" here means "every type". The following quantifier indicates the quantity needed.

2 不要了。

语气助词"了"在此表示变化。
The modal particle "了" indicates that the situation has changed.

3 哪儿卖啤酒？

"哪儿卖"用来询问什么东西在什么地方卖。
"哪儿卖" is used to inquire where something is sold.

4 给你钱。

这是个双宾句。"钱"表物，是直接宾语；"你"表人，是间接宾语。

This is a sentence with a verb taking two objects. "钱" (referring to a thing) is the direct object and "你" (referring to a person) is the indirect object.

5 不甜不要钱。

此句为紧缩句，意思是"如果橘子不甜，我就不要你的钱"。

"不甜不要钱" is a contracted complex sentence equivalent to "如果橘子不甜，我就不要你的钱".

6 怎么卖？

用来询问价钱。

It is used to inquire prices.

语法 GRAMMAR

```
1. 红的、大的
2. A 还是 B？
3. 元、角、分
```

1. "的"字结构 The "的" construction

名词、人称代词、形容词等后边加上"的"，可以组成"的"字结构。"的"字结构使用起来相当于一个名词。例如：

A noun, a personal pronoun or an adjective plus the structural particle "的" form a "的" construction. A "的" construction functions as a noun, e. g.

① 这本书是西蒙的。（西蒙的=西蒙的书）

② A：这本书是你的吗？

   B：不是，我的在桌子上边。（我的=我的书）

③ 大的三块钱一斤。（大的=大的橘子）

· 练习 **EXERCISES** ·

看图完成会话 Complete the dialogues according to the pictures

A：这是谁的？

B：_____。

A：这是你的吗？

B：_____。

A：这是不是酸*的？

B：_____。

A：哪辆*自行车*是你的？

B：_____。

2. 选择疑问句　Alternative questions

用连词"还是"连接两种可能的答案构成的疑问句，叫选择疑问句。例如：

An alternative question is one formed of two statements joined by the conjunction "还是" suggesting two different possible alternatives for the person addressed to choose from, e.g.

① A：你去还是我去？
　 B：我去吧。

② A：你回家还是去商店？
　 B：我回家。

③ A：你要红的还是蓝的？
　 B：我要红的。

④ A：你下午去图书馆还是晚上去？
　 B：我晚上去。

"是" 字句的选择疑问形式如下：

The alternative questions of "是" sentence are as follows:

⑤ A：这是你的书还是他的？
　 B：这是他的书。

⑥ A：你是日本人还是韩国人？
　 B：我是日本人。

· 练习　EXERCISES ·

用选择疑问句提问　Make alternative questions

A：_____?
B：这是铅笔*。

A：_____?
B：这是我妹妹。

A: _____?

B: 我喝可乐。

A: _____?

B: 我要苹果*。

A: _____?

B: 今天是星期四。

A: _____?

B: 我要大的。

A: _____?

B: 我要凉的。

A: _____?

B: 我要短*的。

3. 钱的计算 Counting money

人民币的单位是"元""角""分"，口语里常用"块""毛""分"。钱数的读法如下：

The units of Renminbi (RMB) are "元", "角" and "分", but in oral Chinese they are called "块", "毛" and "分". The following are the ways of telling money:

10.00 元	十元（块）
10.50 元	十元（块）五角（毛）
10.58 元	十元（块）五角（毛）八（分）
10.09 元	十元（块）零九分

"角（毛）""分"在末位时可以省略不说。

If "角（毛）" and "分" are the last units, they can be omitted.

如果只有"元（块）""角（毛）""分"一个单位的话，口语中常在最后加上"钱"。例如：

If the unit is just "元（块）", "角（毛）" or "分", the word "钱" is often added in oral Chinese, e.g.

10.00 元	十块钱
0.50 元	五毛钱
0.05 元	五分钱

⚠ 注意：

NB:

（1）"2"单用时，常说"两"。例如：

If "2" stands all by itself, it is often said "两", e.g.

2.00 元	两块
0.20 元	两毛
0.02 元	两分

（2）"2"在数字末尾时，常说"二"。例如：

If "2" stands in the end, it can be said "二", e.g.

2.20 元	两块二
2.22 元	两块二毛二/两块两毛二
12.02 元	十二块零二

· 练习 **EXERCISES** ·

看图完成会话 Complete the dialogues according to the pictures

A：这个面包多少钱？

B：_____?

A：西红柿多少钱一斤？

B：_____?

A：这辆自行车多少钱？

B：_____。

④

A：两杯咖啡、一杯牛奶，一共多少钱？

B：_____。

综合练习 COMPREHENSIVE EXERCISES

一、根据所给材料组织会话 Make dialogues according to the given information

1.

> 我们学校里有一个小商店，那儿卖笔、本子，也卖面包、啤酒、矿泉水等（děng, etc.）。商店对面有一个邮局，那儿卖邮票（yóupiào, stamp）和信封（xìnfēng, envelope）。

会话情景 Situation：你去商店买本子、面包；你还要买信封和邮票。

会话角色 Roles：你和售货员。

⚠ **注意**："信封"的量词是"个"，"邮票"的量词是"张"。
NB: The measure word for "信封" is "个", the measure word for "邮票" is "张".

2.

> 南门旁边有一个水果（shuǐguǒ, fruit）店。那儿有很多水果，有苹果、橘子，还有香蕉（xiāngjiāo, banana）、西瓜（xīguā, watermelon）等。那儿卖的橘子很甜。水果店旁边还有一个蔬菜（shūcài, vegetable）店，那儿的蔬菜都很新鲜。

会话情景 Situation：你去南门旁边买东西。

会话角色 Roles：你和卖东西的人。

二、看图说话 Give a talk according to the pictures

生词 New Words

女人	nǚrén	名	woman
男人	nánrén	名	man
老人	lǎorén	名	old man

王二卖杏（xìng, apricot）

三、听后选择与听到的句子意思相同或相近的句子 Listen and choose the sentence having the same or similar meaning with what you've heard

1. A. 买一斤苹果、两斤橘子。
   B. 买苹果，不买橘子。
   C. 买一斤苹果、一斤橘子。

2. A. 苹果九块钱一斤。
   B. 苹果四块五一斤。
   C. 苹果十块钱一斤。

3. A. 我的橘子不甜。
   B. 我的橘子很甜。
   C. 我的橘子不要钱。

4. A. 西红柿多少钱？
   B. 西红柿卖不卖？
   C. 西红柿怎么样？

生词 NEW WORDS

1	想	xiǎng	助动	would like
2	手机	shǒujī	名	mobile phone, cell phone
3	给	gěi	介	for, to, by
4	千	qiān	数	thousand
5	左右	zuǒyòu	名	or so, about
6	牌子	páizi	名	brand
7	质量	zhìliàng	名	quality
8	又……又……	yòu……yòu……		both...and...
9	价钱	jiàqian	名	price

10	便宜	piányi	形	cheap
11	样子	yàngzi	名	appearance, shape
12	好看	hǎokàn	形	nice, beautiful
13	双	shuāng	量	pair
14	号	hào	名	size
15	可以	kěyǐ	助动	can
16	试	shì	动	to try
17	有点儿	yǒudiǎnr	副	a bit
18	一点儿	yìdiǎnr	数量	a little
19	合适	héshì	形	suitable
20	件	jiàn	量	a measure word for clothing, matters, etc.
21	白	bái	形	white
22	真丝	zhēnsī	名	real silk
23	衬衣	chènyī	名	shirt
24	颜色	yánsè	名	color
25	只	zhǐ	副	only
26	种	zhǒng	量	kind, type
27	带*	dài	动	to take
28	雨伞*	yǔsǎn	名	umbrella
29	用*	yòng	动	to use
30	算*	suàn	动	to calculate
31	条*	tiáo	量	a measure word for long or narrow or thin things
32	裤子*	kùzi	名	trousers, pants
33	电脑*	diànnǎo	名	computer
34	乱*	luàn	形	messy
35	老*	lǎo	形	old

课文 TEXTS

1

Yīngnán: Wǒ xiǎng mǎi ge shǒujī, nín gěi wǒ jièshào jièshào.
英男：我 想 买 个 手机[1]，您 给 我 介绍 介绍。

Shòuhuòyuán: Nín xiǎng mǎi duōshao qián de?
售货员：您 想 买 多少 钱 的？

Yīngnán: Liǎng qiān kuài zuǒyòu de.
英男：两 千 块 左右 的。

Shòuhuòyuán: Nín kànkan zhè ge páizi de, zhìliàng yòu hǎo, jiàqian
售货员：您 看看 这 个 牌子 的，质量 又 好，价钱

yòu piányi.
又 便宜。

Yīngnán: Yàngzi yě tǐng hǎokàn.
英男：样子 也 挺 好看。

2

Yīngnán: Zhè shuāng xié shì duō dà hào de?
英男：这 双 鞋 是 多 大 号 的？

Shòuhuòyuán: Èrshíwǔ hào de.
售货员：25 号 的。

Yīngnán: Wǒ kěyǐ shìshi ma?
英男：我 可以 试试 吗？

Shòuhuòyuán: Kěyǐ.
售货员：可以。

Yīngnán: Zhè shuāng yǒudiǎnr xiǎo, yǒu dà yìdiǎnr de ma?
英男：这 双 有点儿 小，有 大 一点儿 的 吗？

Shòuhuòyuán: Yǒu, nín zài shìshi èrshíwǔ hào bàn de.
售货员：有，您 再 试试 25 号 半 的。

Yīngnán: Zhè shuāng bú dà yě bù xiǎo, tǐng héshì.
英男：这　双　不大也不小，挺合适。

3 Shòuhuòyuán: Nín yào mǎi diǎnr shénme?
　售货员：您 要 买 点儿 什么？[2]

Lìli: Wǒ kànkan nà jiàn bái de zhēnsī chènyī. Yǒu bié de
莉莉：我 看看 那 件 白 的 真丝 衬衣。有 别 的

yánsè de ma?
颜色 的 吗？

Shòuhuòyuán: Méiyǒu, zhǐ yǒu zhè yì zhǒng yánsè.
　售货员：没有，只有 这 一 种 颜色。

Lìli: Duōshao qián yí jiàn?
莉莉：多少 钱 一 件？

Shòuhuòyuán: Yìbǎi bā.
　售货员：一百 八。

Lìli: Tài guì le, piányi diǎnr ba.
莉莉：太 贵 了，便宜 点儿 吧[3]。

Shòuhuòyuán: Nín gěi yìbǎi liù ba.
售货员：您 给 一百 六 吧。

Lìli: Zài piányi diǎnr, yìbǎi wǔ zěnmeyàng?
莉莉：再 便宜 点儿，一百 五 怎么样？

Shòuhuòyuán: Xíng.
售货员：行。

注释 NOTES

1 我想买个手机。

量词前面的 "一" 不在句首时，"一" 可以省略。

When "一" before a measure word isn't at the beginning of a sentence, it may be omitted.

2 你要买点儿什么？

口语中，"一点儿" 中的 "一" 常常省略。

In oral Chinese, "一" in "一点儿" is usually omitted.

3 便宜点儿吧。

语气助词 "吧" 可以用在表示请求、劝告、命令、商量或同意的句子里，使整个句子的语气比较缓和。

The modal particle "吧" can be used in the sentences denoting require, advice, order, discussion or agreement to soften the tone.

语法 GRAMMAR

> 1. 想、要
> 2. 试试、看看
> 3. 又……又……
> 4. 一点儿、有(一)点儿

1. 能愿动词（1）：想、要　Modal verbs (1): "想" and "要"

（1）想

表示主观上的意愿，侧重"打算""希望"。例如：

It indicates one's volition and emphasizes one's plan or wish, e.g.

> A：你想去图书馆吗？
>
> B：我不想去图书馆，我想在家看电视。

· 练习　EXERCISES ·

回答问题　Answer the questions

他们想做什么？

吃

旅行

（2）要

"要"的主要意思和用法有：

The main meanings and use of "要" are as follows:

A. 表示主观意志上的要求。否定式是"不想"。例如：

It indicates one's desire to do something. Its negative form is "不想", e.g.

① 下午我要给妈妈打个电话。

② A：你要买点儿苹果吗？

　　B：我不想买苹果，我想买点儿西红柿。

B. 表示客观事实上的需要。否定式是"不用"。例如：

It also means "to need objectively". The negative form is "不用", e.g.

③ A：东西很多，要我帮你吗？

　　B：谢谢，不用。

· 练习　EXERCISES ·

用"不想"或"不用"回答问题　Answer the questions using "不想" or "不用"

❶ A：你要喝咖啡吗？

　　B：我 ＿＿＿＿＿＿ 喝咖啡，我要喝牛奶。

❷ A：要不要带*雨伞*？

　　B：天气很好，＿＿＿＿＿＿带雨伞。

❸ A：要我跟他说吗？

　　B：＿＿＿＿＿＿，他知道。

❹ A：今晚咱们去饭馆吃饭，怎么样？

　　B：我 ＿＿＿＿＿＿ 去饭馆，我想在家吃。

2. 动词重叠 Reduplication of verbs

有一部分动词可以重叠，表示轻松、随便的语气，有时表示动作经历的时间短，或者表示尝试的意义。单音节的重叠形式是"AA"或"A — A"，双音节的重叠形式是"ABAB"。例如：

Some verbs can be reduplicated to make a sentence sound casual or informal. Sometimes a verb is reduplicated to indicate that the action is of very short duration, or to imply that what is done is just for the purpose of trying something out. In the case of a monosyllabic verb, the reduplication follows the pattern "AA" or "A 一 A"; in the case of a disyllabic verb, the reduplication follows the pattern "ABAB", e.g.

① 我想买个手机，您给我介绍介绍。

② 这双鞋我可以试试吗？

③ 星期天在家看看电视，听听音乐，休息休息，真好！

· 练习　EXERCISES ·

看图，用所给词语进行替换练习　Do substitution drills with the given words according to the pictures

（1）

例 Example

我可以试试 这件衬衣吗？

看

用*

尝　橘子

(2)

例 Example

你<u>尝尝</u>，<u>饺子怎么样</u>?

①

看

②

算*

③

试 条* 裤子*

3. "又……又……" …and…

表示两种性质或情况同时存在。例如：

It means that two characteristics or situations are found at the same time, e.g.

① 那件衣服又贵又不好看。

② 这个牌子的手机质量又好，价钱又便宜。

· 练习 **EXERCISES** ·

用 "又……又……" 完成句子 Complete the sentences using "又……又……"

① 我同屋 _____ 。

② 那件衬衣 _____ 。

③ 颐和园 _____ 。

④ 小西的姐姐 _____ , _____ 。

⑤ 我们班同学 _____ , _____ 。

4. "一点儿" 和 "有一点儿"   "一点儿" and "有一点儿"

"一点儿" 是数量词，表示少量，常修饰名词。"一" 常省略。例如：

"一点儿", a quantifier, indicates an indefinite small quantity, and usually modifies a noun. "一" is often omitted, e.g.

> ① 今天我只吃了一点儿饭。   ② 我想去商店买点儿东西。

"一点儿" 也用在形容词后，表示程度轻微。例如：

"一点儿" is also used after an adjective to express that the degree is low, e.g.

> ③ 有大一点儿的鞋吗？   ④ 明天我要早点儿来教室。

"有一点儿" 常用在动词与形容词前作状语，也表示程度轻微，但它用在形容词前时，多表示评价和不如意的意思。"一" 也常省略。例如：

"有一点儿" is often used before a verb or an adjective as an adverbial adjunct. It also expresses that the degree is low, but when used before an adjective, it has the special meaning of criticizing unsatisfactory situations. "一" is also often omitted, e.g.

> ⑤ 那件衬衣有点儿贵。   ⑥ 今天我有点儿累，不想吃饭。
>
> ⑦ 他有点儿不高兴。

· 练习 EXERCISES ·

看图，用所给词语进行替换练习 Do substitution drills with the given words according to the pictures

一点儿

(1) 例 Example

A：你<u>喝</u> <u>啤酒</u>吗？

B：我<u>喝</u>一点儿。

吃

买

(2) 例 Example

<u>这个教室</u>比较<u>小</u>，<u>那个教室</u>大一点儿。

贵、便宜

大、小

长、短

甜、酸

有点儿

(1) 例 Example

他<u>有点儿累</u>。

饿

渴

忙

(2) 例 Example

A：这本书怎么样？
B：这本书有点儿难。

乱*

老*

贵

综合练习 **COMPREHENSIVE EXERCISES**

⟹ **一、会话练习** Dialogue exercises

会话话题 Topics：

① 我想买……，您给我介绍介绍。

② ……，我可以试试吗？

③ 太贵了，便宜点儿吧。

⟹ **二、利用所给词语描述下列物品** Describe the object in each picture using the given words

| 质量　价钱　样子　好　好看　贵　便宜　又……又……　　有点儿 |

TCL牌电视机

英男的手机

直美的衬衣

⟹ **三、听后回答问题并复述** Listen and answer the questions, then retell what you've heard

问题 Question

① 这双鞋是在哪儿买的？

② 那个鞋店卖的鞋怎么样？

③ 这双鞋多少钱？

莉莉的新鞋

生词 NEW WORDS

1	听说	tīngshuō	动	it is said that
2	菜	cài	名	dish
3	好吃	hǎochī	形	delicious
4	事	shì	名	thing, affair, business
5	服务员	fúwùyuán	名	attendant, waiter, waitress
6	菜单	càidān	名	menu
7	点	diǎn	动	to order (dishes)
8	鱼香肉丝	yúxiāng ròusī		shredded pork with garlic sauce
9	麻婆豆腐	mápó dòufu		stir-fried beancurd in hot sauce

10	碗	wǎn	名	bowl
11	酸辣汤	suānlàtāng	名	hot-and-sour soup
	辣	là	形	hot, peppery
	汤	tāng	名	soup
12	饮料	yǐnliào	名	beverage
13	壶	hú	名	pot
14	稍	shāo	副	a little, slightly
15	觉得	juéde	动	to feel, to think
16	不过	búguò	连	but
17	油	yóu	名	oil
18	喜欢	xǐhuan	动	to like
19	最	zuì	副	most
20	呀	ya	助	*a particle expressing a realization*
21	咸	xián	形	salty
22	苦	kǔ	形	bitter
23	就是	jiùshi	副	only, merely, just
24	小姐	xiǎojiě	名	waitress, Miss
25	结账	jié zhàng		to get the check
26	餐巾纸	cānjīnzhǐ	名	napkin paper
27	付	fù	动	to pay
28	请客	qǐng kè		to treat
29	以后	yǐhòu	名	later
30	唱*	chàng	动	to sing
31	歌*	gē	名	song
32	有意思*	yǒu yìsi		interesting
33	难*	nán	形	difficult

34	汉字*	Hànzì	名	Chinese character
35	告诉*	gàosu	动	to tell
36	问题*	wèntí	名	question
37	问*	wèn	动	to ask

● 专名 PROPER NOUN

四川	Sìchuān	*name of a Chinese province*

课文 TEXTS

1

Zhíměi: Tīngshuō Sìchuān cài hěn hǎochī, zánmen qù chángchang,
直美：听说 四川 菜 很 好吃， 咱们 去 尝尝，

hǎo ma?
好 吗？

Lìli: Hǎo a, shénme shíhou qù?
莉莉：好 啊， 什么 时候 去？

Zhíměi: Jīntiān wǎnshang zěnmeyàng?
直美：今天 晚上 怎么样？

Lìli: Jīntiān wǎnshang wǒ yǒu shì, míngtiān zhōngwǔ hǎo ma?
莉莉：今天 晚上 我 有 事， 明天 中午 好 吗？

Zhíměi: Hǎo!
直美：好！

2

Fúwùyuán: Zhè shì càidān, qǐng diǎn cài.
服务员：这 是 菜单， 请 点 菜。

Zhíměi: Lái yí ge yúxiāng ròusī, yí ge mápó dòufu, zài lái
直美： 来 一 个 鱼香 肉丝[1]， 一 个 麻婆 豆腐， 再 来

liǎng wǎn mǐfàn, yí ge suānlàtāng.
两 碗 米饭， 一 个 酸辣汤。

Fúwùyuán: Yào shénme yǐnliào?
服务员： 要 什么 饮料?

Zhíměi: Lái yì hú chá.
直美： 来 一 壶 茶。

Fúwùyuán: Qǐng shāo děng.
服务员： 请 稍 等。

Zhíměi: Nǐ juéde Zhōngguó cài hǎochī ma?
直美： 你 觉得 中国 菜 好吃 吗?

Lìli: Hǎochī shì hǎochī, búguò yóu tài duō.
莉莉： 好吃 是 好吃， 不过 油 太 多。

Zhíměi: Nǐ xǐhuan chī shénme cài?
直美： 你 喜欢 吃 什么 菜?

Lìli: Wǒ zuì xǐhuan chī Hánguó cài. Wǒ xǐhuan chī là de.
莉莉： 我 最 喜欢 吃 韩国 菜。我 喜欢 吃 辣 的。

Nǐ ne?
你 呢?

Zhíměi: Wǒ ya, suān de、là de、xián de、kǔ de dōu xǐhuan chī,
直美： 我 呀， 酸 的、辣的、咸 的、苦 的 都 喜欢 吃，

jiùshi bù xǐhuan chī tián de.
就是 不 喜欢 吃 甜 的。

3 Zhíměi: Xiǎojiě, jié zhàng.
直美： 小姐， 结 账。

菜单 MENU	
鱼香肉丝	28 元
麻婆豆腐	15 元
酸辣汤	10 元
米饭	2 元

Lìli: Zài gěi wǒmen liǎng zhāng cānjīnzhǐ.

莉莉：再 给 我们 两 张 餐巾纸。

Zhíměi: Wǒ lái fù qián, jīntiān wǒ qǐng kè.

直美：我 来 付 钱，今天 我 请 客。

Lìli: Hǎo, yǐhòu wǒ qǐng nǐ chī Hánguó cài.

莉莉：好，以后 我 请 你 吃 韩国 菜[2]。

注释 NOTES

1 来一个鱼香肉丝。

在商店，特别是在饭馆里，常用"来"代替"买"或"要"。这样更符合口语的习惯。

In shops, especially in restaurants, "来" is often used to replace "买" or "要" according to the way of spoken Chinese.

2 我请你吃韩国菜。

这是一个兼语句。"你"是动词"请"的宾语，同时兼任动词"吃"的主语。

This is a pivotal sentence. "你" is the object of the verb "请" and the subject of the verb "吃".

语法 GRAMMAR

1. ……，好吗？

2. A 是 A

3. 给我米饭

1. 用 "……，好吗" 提问 ☐ Tag question "……，好吗"

用 "……，好吗" 提问，常用来提出建议，征询对方的意见。这种疑问句的前一部分是陈述句，答句常用 "好啊" "好" 表示同意。例如：

The tag question "……，好吗" is often used to make a request or a suggestion and for the opinion of the person addressed. The first part of such a sentence is usually a statement. The answer to it is "好啊" or "好", including consent or agreement of the person addressed, e.g.

① 听说四川菜很好吃，咱们去尝尝，好吗？

② 今天晚上我有事，明天中午好吗？

• 练习 **EXERCISES** •

看图，用 "……，好吗" 完成句子 Complete the sentence using "……，好吗" according to each picture

今天晚上，＿＿＿＿＿＿

＿＿＿＿＿＿？（唱* 歌*）

听说那个电影很有意思*，

＿＿＿＿＿＿＿＿？

A：咱们几点见面？

B：＿＿＿＿＿＿＿？

太贵了，＿＿＿＿＿＿？

2. "······是······" The construction "······是······"

"A 是 A" 结构常用来先承认或肯定某个事实，后边紧接着用 "不过" "但是" "就是" 等转折，说出主要的意思。例如：

The construction "A 是 A" is used to state or confirm a fact, then a transition comes to tell the main meaning, by using "不过", "但是", "就是", etc. e.g.

① 中国菜好吃是好吃，不过油太多。

② 这件衬衣好看是好看，但是太贵了。

③ 这双鞋便宜是便宜，就是不太好看。

· 练习 EXERCISES ·

用 "······是······" 格式完成会话 Complete the dialogues using the construction "······是······"

❶ A：这种牌子的空调质量好不好？

　 B：＿＿＿＿＿＿＿＿＿＿＿＿＿＿。

❷ A：汉语难*吗？

　 B：＿＿＿＿＿＿＿＿＿＿＿＿＿＿。

❸ A：韩国菜好吃不好吃？

　 B：＿＿＿＿＿＿＿＿＿＿＿＿＿＿。

❹ A：你想不想买辆自行车？

　 B：＿＿＿＿＿＿＿＿＿＿＿＿＿＿。

3. 双宾句 Sentences with a predicate verb taking two objects

有的动词可以带两个宾语，间接宾语（一般是指人的）在前，直接宾语（一般是指物的）在后。

Some verbs can take two objects: an indirect object (usually referring to a person) and a direct object (usually referring to a thing), with the former preceding the latter.

能带双宾语的动词是有限的，主要有"教""送""给""告诉""借""还""问"等。
例如：

Only some verbs can take two objects as "教", "送", "给", "告诉", "借", "还" and "问", etc., e.g.

① 小姐，给我们两张餐巾纸。　　② 王老师教我们汉字*。

· 练习　EXERCISES ·

组词成句 Make sentences with the given words

❶ 老师　　我　　教　　汉字
⇨ _____ 。

❷ 他　　我　　告诉*　　一　　个　　秘密
⇨ _____ 。

❷ 小雨　　问题*　　问*　　姐姐　　什么
⇨ _____ 。

❸ 她　　莉莉　　的　　保罗　　告诉　　年级　　不
⇨ _____ 。

❹ 售货员　　他　　十二块　　找　　钱
⇨ _____ 。

❺ 姐姐　　妹妹　　给　　两　　书　　本
⇨ _____ 。

综合练习 COMPREHENSIVE EXERCISES

一、完成会话 Complete the dialogues

1. A：听说 _____，咱们去尝尝，好吗？

B：好啊，什么时候去？

A：_____，怎么样？

B：_____ 我有事，_____ 好吗？

A：好。

2.

A：这是菜单，请点菜。

B：来一个 _____、一个 _____、一个 _____，再来 _____。

A：要什么饮料？

B：来 ＿＿＿＿＿＿。

A：请稍等。

3. A：你觉得这个菜好吃吗？

B：好吃是好吃，不过 ＿＿＿＿＿＿＿。

4. A：你喜欢吃什么菜？

B：我最喜欢吃 ＿＿＿＿＿。我爱吃 ＿＿＿＿＿的。你呢？

A：我呀，＿＿＿＿的、＿＿＿＿的都爱吃，就是不爱吃 ＿＿＿＿的。

⇨ 二、会话练习 Dialogue exercises

会话话题 Topics：

❶ 听说……，咱们去尝尝，好吗？

❷ 这是菜单，请点菜。

❸ 你觉得……好吃吗？

⇨ 三、看图说话 Give a talk according to the pictures

（1）小雨的宿舍有四个人，……

（2）这是菜单，请点菜。

（3）小李说："……是……，不过……"

（4）最后，他们跟小雨一起……

今天吃什么

四、听后连线并回答问题 Listen to the recording and answer the questions

生词 New Words

特点	tèdiǎn	名	characteristic
南方	nánfāng	名	south
北方	běifāng	名	north

1. 中国菜的特点是什么？听后连线 What are the characteristics of Chinese dishes? Listen and match

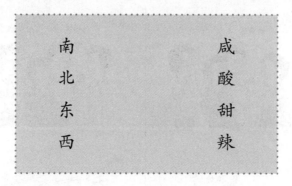

2. 回答问题 Answer the questions

　　"我"的中国朋友是哪儿的人？他喜欢吃甜的吗？

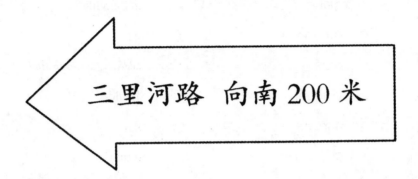

三里河路　向南 200 米

生词 NEW WORDS

1	走	zǒu	动	to go, to walk
2	一直	yìzhí	副	straight
3	往	wǎng	介	toward
4	到	dào	动	to arrive, to reach
5	字	zì	名	character
6	路口	lùkǒu	名	crossing, intersection
7	拐	guǎi	动	to turn
8	米	mǐ	量	meter
9	公里	gōnglǐ	量	kilometer
10	车	chē	名	vehicle
11	过	guò	动	to cross

12	马路	mǎlù	名	road, street
13	先	xiān	副	first
14	路	lù	名	route, No. (for bus), road
15	公共汽车	gōnggòng qìchē		bus
	汽车	qìchē	名	automobile
16	然后	ránhòu	连	then
17	地铁	dìtiě	名	subway, underground
18	应该	yīnggāi	助动	should
19	或者	huòzhě	连	or
20	骑	qí	动	to ride
21	技术	jìshù	名	skill
22	还是	háishi	副	*expressing a preference for an alternative*
23	周末	zhōumò	名	weekend
24	火车	huǒchē	名	train
25	飞机	fēijī	名	plane
26	快	kuài	形	fast
27	舒服	shūfu	形	comfortable
28	可是	kěshì	连	but
29	宽*	kuān	形	wide
30	重*	zhòng	形	heavy
31	出租车*	chūzūchē	名	taxi
32	送*	sòng	动	to send
33	礼物*	lǐwù	名	gift
34	花*	huā	名	flower
35	站*	zhàn	名	stop, station

● 专名 PROPER NOUNS

1	百货大楼	Bǎihuò Dàlóu	Department Store
2	大同	Dàtóng	*name of a Chinese city*

课文 TEXTS

1

莉莉: Lìli: Qù yóujú zěnme zǒu?
莉莉: 去 邮局 怎么 走?

中国人: Zhōngguó rén: Yìzhí wǎng qián zǒu, dào shí zì lùkǒu wǎng yòu guǎi.
中国 人: 一直 往 前 走,到 十字 路口 往 右 拐。

莉莉: Lìli: Lí zhèr duō yuǎn?
莉莉: 离 这儿 多 远?

中国人: Zhōngguó rén: Èrbǎi duō mǐ.
中国 人: 二百 多 米。

2

直美: Zhíměi: Cóng zhèr dào Bǎihuò Dàlóu yǒu duō yuǎn?
直美: 从 这儿 到 百货 大楼 有 多 远?

中国人: Zhōngguó rén: Shísān-sì gōnglǐ.
中国 人: 十三四 公里。

直美: Zhíměi: Zěnme zuò chē?
直美: 怎么 坐车?

中国人: Zhōngguó rén: Guò mǎlù, xiān zuò èr lù gōnggòng qìchē, ránhòu
中国 人: 过 马路,先 坐 2 路 公共 汽车 然后

huàn dìtiě.
换 地铁。

3

Bǎoluó: Qǐngwèn, wǒ qù Tiān'ānmén, yīnggāi zǒu nǎ tiáo lù?
保罗：请问， 我 去 天安门， 应该 走 那 条 路？

Zhōngguó rén: Zǒu zhè tiáo lù huòzhě nà tiáo lù dōu xíng.
中国人：走 这 条 路 或者 那 条 路 都 行。

Bǎoluó: Nǎ tiáo lù jìn?
保罗：哪 条 路 近？

Zhōngguó rén: Zhè tiáo lù jìn, búguò yǒudiǎnr luàn.
中国人：这 条 路 近，不过 有点儿 乱。

Bǎoluó: Wǒ qí chē jìshù bú tài gāo, háishi zǒu nà tiáo lù ba.
保罗：我 骑车 技术 不太 高，还是 走 那 条 路 吧。

4

Bǎoluó: Zhōumò zánmen qù Dàtóng, hǎo ma?
保罗：周末 咱们 去 大同，好 吗？

Yīngnán: Hǎo a. Zuò huǒchē háishi zuò fēijī?
英男：好 啊。坐 火车 还是 坐 飞机？

Bǎoluó: Zuò fēijī ba, yòu kuài yòu shūfu.
保罗：坐 飞机 吧，又 快 又 舒服。

Yīngnán: Kěshì zuò fēijī tài guì le, háishi zuò huǒchē ba.
英男：可是 坐 飞机 太 贵 了，还是 坐 火车 吧。

语法 GRAMMAR

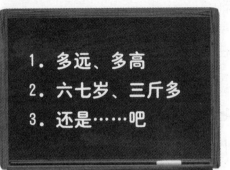

1. 多远、多高
2. 六七岁、三斤多
3. 还是……吧

1. 用疑问代词"多"提问 Questions with the interrogative pronoun "多"

代词"多"放在形容词（多为单音节的）前，用来询问程度。"多"前还可以用上"有"表示估量。例如：

The pronoun "多" is put before adjectives (mostly monosyllabic adjectives) to ask about degree or extent. "有" can precede "多" to indicate estimation, e.g.

① A：邮局离这儿多远？
　 B：二百多米。

② A：从这儿到百货大楼有多远？
　 B：十三四公里。

③ A：你今年多大？
　 B：我今年二十一岁。

④ A：他有多高？
　 B：一米七五。

· 练习 EXERCISES ·

用"多"就画线部分提问 Ask questions about the underlined part using "多"

例 Example　保罗一米七五。 ⇨ 保罗多高？

❶ 小雨今年23岁。　⇨ _____？

❷ 从这儿到颐和园有15公里。⇨ _____？

❸ 那条路长500米，宽*20米。⇨ _____？

❹ 这五个苹果重*3斤。　⇨ _____？

2. 概数 The approximate number

汉语里表示概数的方法有:

In Chinese, there are different ways of expressing the approximate numbers:

A. 用两个相邻的数字连在一起来表示。例如:

Two adjacent numbers are written successively, e.g.

① 这个孩子有六七岁。　　② 从这儿到百货大楼有十三四公里。

③ 教室里有四五十个学生。

B. 在一个数目后边加上"多",表示超过那个数目。"多"的位置有两种:

"多" is put after a number to indicate that the quantity expressed surpasses this number. There are two positions for "多":

（a）"多"用来强调整数时,用在量词前边。例如:

When "多" is used to emphasize a whole number, it is used before the measure word, e.g.

④ 这件衬衣三十多块钱。　　⑤ 从这儿到我们学校只用十多分钟。

（b）"多"表示整数以后的零数时,用在量词之后。例如:

When "多" expresses a decimal following a whole number, it is used after the measure word, e.g.

⑥ 这些橘子三斤多。　　⑦ 下午五点多我去找你。

⑧ 这本词典二十九块多。

· 练习　EXERCISES ·

1. 用两个相邻的数字回答问题 Answer the questions using two adjacent numbers

例 Example　　A：这孩子多大?　　B：三四岁。

❶ A：你的宿舍离教室有多远?　　B：＿＿＿＿＿＿＿＿＿。

❷ A：你们学校有多少留学生?　　B：＿＿＿＿＿＿＿＿＿。

❸ A：你旁边的同学有多高?　　B：＿＿＿＿＿＿＿＿＿。

❹ A：你认识多少个汉字？　　　B：＿＿＿＿＿＿＿＿＿＿＿＿＿＿。

❺ A：你们学校附近有几个饭馆？　B：＿＿＿＿＿＿＿＿＿＿＿＿＿＿。

2. 将下列句子中的数字用"**多**"来表示 Change the numbers in the following sentences using "多"

> ┌─────────────┐
> │ 例 Example │　　他二十三岁。 ⇨ 他二十多岁。
> └─────────────┘

❶ 三杯牛奶十四块五。　　　⇨　＿＿＿＿＿＿＿＿＿＿＿＿＿。

❷ 现在两点二十六分。　　　⇨　＿＿＿＿＿＿＿＿＿＿＿＿＿。

❸ 这个班有十四个学生。　　⇨　＿＿＿＿＿＿＿＿＿＿＿＿＿。

❹ 一年有三百六十五天。　　⇨　＿＿＿＿＿＿＿＿＿＿＿＿＿。

❺ 这辆自行车四百八十八块。⇨　＿＿＿＿＿＿＿＿＿＿＿＿＿。

3. **"还是……吧"**　　The construction "还是……吧"

这里"还是"是副词，表示经过比较后，选出相对满意的。例如：
Here "还是" is an adverb indicating a relatively satisfactory choice after comparison, e.g.

> ① A：去天安门走哪条路好？
>
> 　 B：你骑车技术不太高，还是走那条路吧。
>
> ② A：我们坐火车还是坐飞机？
>
> 　 B：坐飞机太贵了，还是坐火车吧。

· **练习 EXERCISES** ·

看图，用"还是……吧"完成句子 Complete the sentences using "还是……吧" according to each picture

A：今天吃饺子还是吃
面条？

B： _____ 。

A：咱们坐出租车*还是坐
公共汽车去？

B： _____ 。

A：明天是莉莉的生日，送*
她什么礼物*好呢？

B： _____ 。（花*）

A：你要哪种颜色的？

B： _____ 。

综合练习 COMPREHENSIVE EXERCISES

一、根据所给材料进行会话练习 Make a dialogue according to the given information

1.

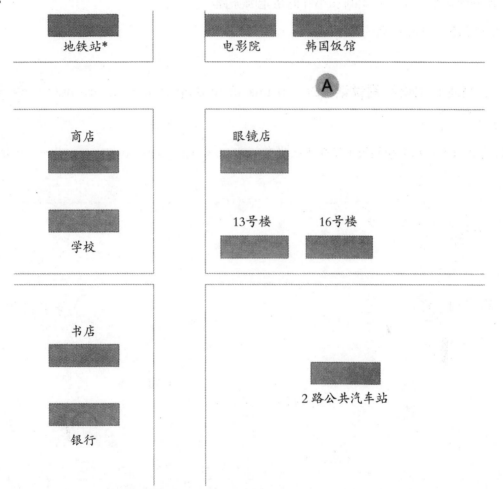

会话情景 Situation：A 现在在韩国饭馆门口，他要去书店（银行、地铁站、2 路公共汽车站……），B 告诉他怎么走。

会话角色 Roles：A 和 B。

2.

> 莉莉和小叶骑车去颐和园，从她们学校到颐和园有两条路：一条大路，一条小路。走大路比较远，走小路近一点儿。不过小路上人多，车也多，比较乱。

会话情景 Situation：莉莉和小叶商量走哪条路。

会话角色 Roles：莉莉和小叶。

二、用所给词语看图说话 Give a talk according to the picture using the given words

1. 介绍一下儿从学校到秀水东街怎么坐车 Tell how to get to the Xiushui East Street by bus and subway from the university

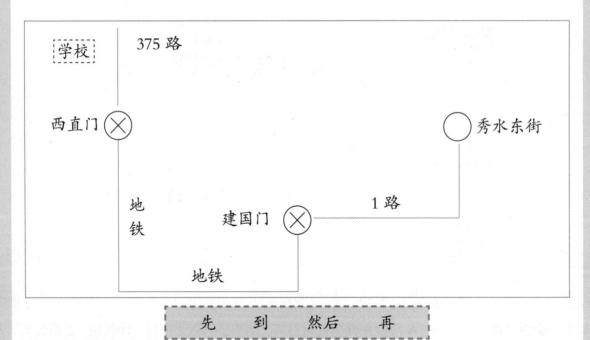

先　　　到　　　然后　　　再

生词 New Words

西直门	Xīzhímén	专名	*name of a place*
建国门	Jiànguómén	专名	*name of a place*
秀水东街	Xiùshuǐ Dōngjiē	专名	*name of a street*

2.

A 和 B 想去大连（Dàlián, *name of a city*），……

生词 New Words

船	chuán	名	ship

三、听一听，找一找，说一说 Listen, find and speak

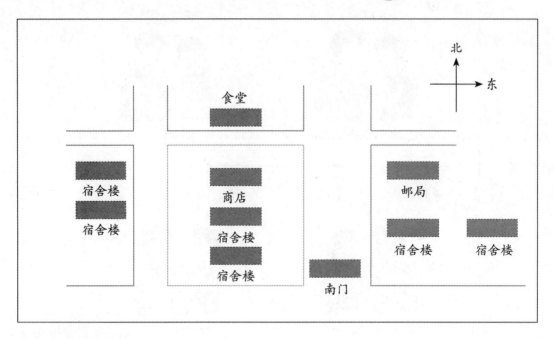

问题 Questions

❶ 王老师家在哪个楼?

❷ 从南门到王老师家怎么走?

听力练习录音文本

LISTENING SCRIPTS

第2课　你好吗

4. 听录音填空

（1）fā　（发）

（2）nǚ　（女）

（3）mù　（木）

（4）bó　（博）

（5）lì　（力）

（6）dé　（德）

（7）tǐlì　（体力）

（8）bīpò　（逼迫）

（9）fúwù　（服务）

（10）tǔdì　（土地）

（11）tèdì　（特地）

（12）nǔlì　（努力）

（13）ne　（呢）

（14）fó　（佛）

（15）pà　（怕）

（16）lǜ　（绿）

（17）dú　（读）

（18）mǐ　（米）

（19）pùbù　（瀑布）

（20）dàgē　（大哥）

（21）tǐyù　（体育）

（22）nǚpú　（女仆）

（23）déyì　（得意）

（24）bōli　（玻璃）

第3课　你吃什么

4. 听录音填空

（1）kǎ　（卡）

（2）hěn　（很）

（3）hēi　（黑）

（4）kàn　（看）

（5）gāng　（刚）

（6）gèng　（更）

（7）gùkè　（顾客）

（8）hángài　（涵盖）

（9）kònggào　（控告）

（10）kāngkǎi　（慷慨）

（11）hánghǎi　（航海）

（12）gōnghuì　（工会）

（13）mǎi　（买）　　　　　　　（14）pàng　（胖）

（15）tōu　（偷）　　　　　　　（16）lǎo　（老）

（17）pán　（盘）　　　　　　　（18）dǒng　（懂）

（19）nèiháng　（内行）　　　　（20）bǎibèi　（百倍）

（21）tǎndàng　（坦荡）　　　　（22）běnnéng　（本能）

（23）máokǒng　（毛孔）　　　　（24）dǒupō　（陡坡）

第4课　多少钱

4. 听录音填空

（1）jǔ　（举）　　　　　　　　（2）xuān　（宣）

（3）qín　（琴）　　　　　　　　（4）xiǎo　（小）

（5）jiē　（接）　　　　　　　　（6）qiáng　（强）

（7）xiānqián　（先前）　　　　（8）jiǎoxìng　（侥幸）

（9）qīngxiàng　（倾向）　　　　（10）jiājǐn　（加紧）

（11）xiě jǐng　（写景）　　　　（12）quánjūn　（全军）

（13）jìn　（进）　　　　　　　　（14）xué　（学）

（15）juān　（捐）　　　　　　　（16）xiǎng　（想）

（17）qīng　（轻）　　　　　　　（18）xiōng　（凶）

（19）qīngxìn　（轻信）　　　　（20）yīnxùn　（音讯）

（21）jiějué　（解决）　　　　　（22）qiàqiǎo　（恰巧）

（23）jiānqiáng　（坚强）　　　　（24）qiánxiàn　（前线）

第5课　图书馆在哪儿

4. 听录音填空

A.（1）zhuā　（抓）　　　　　　（2）shū　（书）

　　（3）cuī　（催）　　　　　　　（4）zuò　（做）

　　（5）chī　（吃）　　　　　　　（6）shuāng　（双）

　　（7）chūrù　（出入）　　　　　（8）zhuózhù　（卓著）

（9）chuánshuō （传说）　　　（10）zhuīsuí （追随）

（11）zuòzhǔ （做主）　　　（12）zhùsuǒ （住所）

（13）cuàn （篡）　　　（14）zūn （尊）

（15）zhuāng （装）　　　（16）shuǐ （水）

（17）zhuō （桌）　　　（18）chuán （船）

（19）ruǎnruò （软弱）　　　（20）shuǐzhǔn （水准）

（21）sùshuō （诉说）　　　（22）zhuānzhù （专著）

（23）chuānzhuó （穿着）　　　（24）zuǐchún （嘴唇）

B.（1）jūnzhuāng （军装）　　　（2）zhíjiē （直接）

（3）qiánchéng （前程）　　　（4）chūqí （出奇）

（5）xīnshǎng （欣赏）　　　（6）shíxíng （实行）

（7）suǒxìng （索性）　　　（8）xiànsuǒ （线索）

（9）xiūsè （羞涩）　　　（10）rèliàng （热量）

（11）lìrùn （利润）　　　（12）hàofèi （耗费）

第6课　我来介绍一下儿

二、听一听，找一找，说一说

A. 这是我姐姐的女儿。她很聪明，也很可爱。

B. 这是保罗的爱人。她很漂亮。她也学习汉语。

C. 这是我哥哥。他是老师。他很帅。

第7课　你身体好吗

三、听一听，找一找，说一说

我同屋保罗是德国人。他个子很高，眼睛比较大。他非常喜欢喝啤酒。我们是好朋友。

第8课 你是哪国人

二、听后填空

田中太郎是日本留学生。他住留学生宿舍1407房间。他的电话号码是82307438。

第9课 你家有几口人

三、听后选择正确答案

王老师家有四口人。王老师的爱人今年四十七岁。他在医院工作,是大夫。王老师的大女儿在商店工作,是售货员。王老师的二女儿不工作,她是学生。

第10课 现在几点

三、听后复述

老师问小明:"今天几号?"小明回答:"今天7月22号。"老师说:"很好。你的生日是几月几号?"小明回答:"我的生日是8月3号。"老师问:"你的生日是哪年?"小明回答:"每年,老师。"

第11课 办公楼在教学楼北边

三、听后填图

小雨家在北京语言大学旁边,他家对面是一个眼镜店。眼镜店旁边是中国银行。中国银行西边有一个电影院。

第12课 要红的还是要蓝的

三、听后选择与听到的句子意思相同或相近的句子

1. 苹果、橘子一样买一斤。

2. 苹果九块钱两斤。

3. 我的橘子不甜不要钱。

4. 西红柿怎么卖?

第13课　您给我介绍介绍

三、听后回答问题并复述

你们看看，这是我的新鞋，我在学校旁边的鞋店买的。这个鞋店卖的鞋质量又好，样子又漂亮。什么？价钱怎么样？价钱有点儿贵。你们说说，这双鞋多少钱？二百八？不对，是五百八。

第14课　咱们去尝尝，好吗

四、听后连线并回答问题

中国菜的特点是南甜北咸，东辣西酸。就是说南方人喜欢吃甜的，北方人喜欢吃咸的。不过，我认识一个中国朋友，是个南方人，他呀，酸的、辣的、咸的都喜欢吃，就是不喜欢吃甜的。

第15课　去邮局怎么走

三、听一听，找一找，说一说

王老师家住在学校南门附近的宿舍楼里。从南门一直往北走，在十字路口往左拐，再往前走二三十米，然后往左拐，一直走，路西有两个宿舍楼，王老师家在南边的那个楼里。

词汇表

VOCABULARY

A

啊	a	助	10
爱人	àiren	名	2

B

八	bā	数	4
爸爸	bàba	名	2
吧	ba	助	10
白	bái	形	13
百	bǎi	数	4
班	bān	名/量	6
办公楼	bàngōnglóu	名	11
办公室	bàngōngshì	名	5
半	bàn	数	10
包子	bāozi	名	3
杯	bēi	名	4
北边	běibian	名	11
本	běn	量	4
本子	běnzi	名	3
比较	bǐjiào	副	7
笔	bǐ	名	3
别的	bié de		12
不错	búcuò	形	7

不过	búguò	连	14
不客气	bú kèqi		1
不	bù	副	1

C

菜	cài	名	14
菜单	càidān	名	14
餐巾纸	cānjīnzhǐ	名	14
茶	chá	名	3
差	chà	动	10
长	cháng	形	7
尝	cháng	动	12
常常	chángcháng	副	8
唱	chàng	动	14
超市	chāoshì	名	11
车	chē	名	15
衬衣	chènyī	名	13
成绩	chéngjì	名	7
吃	chī	动	3
抽屉	chōuti	名	11
出发	chūfā	动	10
出租车	chūzūchē	名	15
床	chuáng	名	10

词典	cídiǎn	名	3	读	dú	动	1
聪明	cōngming	形	6	短	duǎn	形	12
从…… 到……	cóng…… dào……		10	对不起	duìbuqǐ	动	1
				对面	duìmiàn	名	11

D

大	dà	形	6	多	duō	形	7
大后天	dàhòutiān	名	10	多	duō	代	9
大前天	dàqiántiān	名	10	多少	duōshao	代	4

E

带	dài	动	13	饿	è	形	2
当然	dāngrán	副	9	儿子	érzi	名	9
到	dào	动	15	二	èr	数	4
的	de	助	6				

F

等	děng	动	10	饭馆	fànguǎn	名	11
地铁	dìtiě	名	15	房间	fángjiān	名	8
弟弟	dìdi	名	2	飞机	fēijī	名	15
点	diǎn	量	10	非常	fēicháng	副	7
点	diǎn	动	14	分	fēn	量	4、10
电话	diànhuà	名	8	服务员	fúwùyuán	名	14
电脑	diànnǎo	名	13	父母	fùmǔ	名	9
电视	diànshì	名	7	父亲	fùqin	名	9
电影	diànyǐng	名	11	付	fù	动	14
电影院	diànyǐngyuàn	名	11	附近	fùjìn	名	11

G

东边	dōngbian	名	11	高	gāo	形	7
东西	dōngxi	名	12	高兴	gāoxìng	形	6
都	dōu	副	2				
独生女	dúshēngnǚ	名	9				

告诉	gàosu	动	14	好看	hǎokàn	形	13
哥哥	gēge	名	2	号	hào	名/量	5
歌	gē	名	14	号	hào	名	13
个	gè	量	4	号（日）	hào (rì)	量	10
个子	gèzi	名	7	号码	hàomǎ	名	8
给	gěi	动	12	喝	hē	动	3
给	gěi	介	13	合适	héshì	形	13
跟	gēn	介/连	8	和	hé	连/介	6
工作	gōngzuò	动/名	9	很	hěn	副	2
公共汽车	gōnggòng qìchē		15	红	hóng	形	12
公里	gōnglǐ	量	15	后边	hòubian	名	11
公司	gōngsī	名	9	后天	hòutiān	名	10
拐	guǎi	动	15	厚	hòu	形	6
贵	guì	形	8	壶	hú	名	14
贵姓	guìxìng	名	8	花	huā	名	15
国	guó	名	8	换	huàn	动	4
过	guò	动	15	火车	huǒchē	名	15
				或者	huòzhě	连	15

H

还	hái	副	11
还是	háishi	连	12
还是	háishi	副	15
孩子	háizi	名	9
汉语	Hànyǔ	名	6
汉字	Hànzì	名	14
好	hǎo	形	1
好吃	hǎochī	形	14

J

极了	jí le		6
几	jǐ	代	8
记者	jìzhě	名	9
技术	jìshù	名	15
家	jiā	名	9
价钱	jiàqian	名	13
见面	jiàn miàn		10

件	jiàn	量	13
教	jiāo	动	8
饺子	jiǎozi	名	3
叫	jiào	动	8
教室	jiàoshì	名	6
教学楼	jiàoxuélóu	名	11
结账	jié zhàng		14
姐姐	jiějie	名	2
姐妹	jiěmèi	名	9
介绍	jièshào	动	6
斤	jīn	量	12
今年	jīnnián	名	9
今天	jīntiān	名	10
进	jìn	动	1
近	jìn	形	7
经理	jīnglǐ	名	9
九	jiǔ	数	4
就	jiù	副	5
就是	jiùshi	副	14
橘子	júzi	名	12
觉得	juéde	动	14

K

咖啡	kāfēi	名	3
看	kàn	动	6
可爱	kě'ài	形	6
可是	kěshì	连	15

可以	kěyǐ	助动	13
渴	kě	形	2
刻	kè	量	10
客气	kèqi	形	1
空调	kōngtiáo	名	7
口	kǒu	量/名	9
苦	kǔ	形	14
裤子	kùzi	名	13
块	kuài	量	11
块（元）	kuài (yuán)	量	4
快	kuài	形	15
宽	kuān	形	15
矿泉水	kuàngquánshuǐ	名	3

L

辣	là	形	14
来	lái	动	6
蓝	lán	形	12
老	lǎo	形	13
老师	lǎoshī	名	1
了	le	助	12
累	lèi	形	2
离	lí	动	7
礼物	lǐwù	名	15
里边	lǐbian	名	11
里	li	名	7
凉	liáng	形	12

两	liǎng	数	4
辆	liàng	量	12
零（〇）	líng	数	12
零钱	língqián	名	12
留学生	liúxuéshēng	名	5
六	liù	数	4
楼	lóu	名	5
路	lù	名	15
路口	lùkǒu	名	15
乱	luàn	形	13

M

妈妈	māma	名	2
麻婆豆腐	mápó dòufu		14
马路	mǎlù	名	15
马马虎虎	mǎmahūhū	形	7
吗	ma	助	2
买	mǎi	动	3
卖	mài	动	12
忙	máng	形	2
毛（角）	máo (jiǎo)	量	4
没（有）	méi (yǒu)	动/副	7
没关系	méi guānxi		1
每	měi	代	8
美元	měiyuán	名	4
妹妹	mèimei	名	2
门口	ménkǒu	名	10

们	men	尾	11
米	mǐ	量	15
米饭	mǐfàn	名	3
秘密	mìmì	名/形	9
面包	miànbāo	名	3
面条	miàntiáo	名	3
名片	míngpiàn	名	9
名字	míngzi	名	8
明天	míngtiān	名	10
母亲	mǔqin	名	9

N

哪	nǎ	代	8
哪儿	nǎr	代	5
那	nà	代	6
那儿	nàr	代	5
奶奶	nǎinai	名	9
男	nán	形	11
男朋友	nánpéngyou	名	11
南边	nánbian	名	11
难	nán	形	14
闹钟	nàozhōng	名	11
呢	ne	助	2
你	nǐ	代	1
你好	nǐ hǎo		1
你们	nǐmen	代	1
年	nián	量	10

年纪	niánjì	名	9
您	nín	代	1
牛奶	niúnǎi	名	3
努力	nǔlì	形	7
女儿	nǚ'ér	名	6

P

牌子	páizi	名	13
旁边	pángbiān	名	11
朋友	péngyou	名	6
啤酒	píjiǔ	名	3
便宜	piányi	形	13
漂亮	piàoliang	形	6
苹果	píngguǒ	名	12
瓶	píng	名	4

Q

七	qī	数	4
骑	qí	动	15
起	qǐ	动	10
汽车	qìchē	名	15
千	qiān	数	13
铅笔	qiānbǐ	名	12
前边	qiánbian	名	11
前天	qiántiān	名	10
钱	qián	名	4
巧克力	qiǎokèlì	名	11
请	qǐng	动	1

请客	qǐng kè		14
请问	qǐngwèn	动	5
去	qù	动	5

R

然后	ránhòu	连	15
热	rè	形	12
人	rén	名	6
认识	rènshi	动	6

S

三	sān	数	4
商店	shāngdiàn	名	5
上边	shàngbian	名	11
上课	shàng kè		10
上午	shàngwǔ	名	10
稍	shāo	副	14
谁	shéi/shuí	代	8
身体	shēntǐ	名	7
什么	shénme	代	3
生日	shēngrì	名	10
十	shí	数	4
时候	shíhou	名	10
食堂	shítáng	名	5
事	shì	名	14
试	shì	动	13
是	shì	动	6
手机	shǒujī	名	13

售货员	shòuhuòyuán	名	9		甜	tián	形	12
书	shū	名	3		条	tiáo	量	13
书包	shūbāo	名	3		听	tīng	动	1
书店	shūdiàn	名	5		听	tīng	量	12
舒服	shūfu	形	15		听说	tīngshuō	动	14
数	shǔ	动	12		挺	tǐng	副	7
帅	shuài	形	6		同屋	tóngwū	名	7
双	shuāng	量	13		同学	tóngxué	名	6
睡觉	shuì jiào		8		头发	tóufa	名	7
说	shuō	动	1		图书馆	túshūguǎn	名	5

W

司机	sījī	名	9		晚饭	wǎnfàn	名	10
四	sì	数	4		晚上	wǎnshang	名	8
送	sòng	动	15		碗	wǎn	名	14
宿舍	sùshè	名	5		往	wǎng	介	15
酸	suān	形	12		位	wèi	量	8
酸辣汤	suānlàtāng	名	14		问	wèn	动	14
算	suàn	动	13		问题	wèntí	名	14
岁	suì	量	9		我	wǒ	代	2

T

					我们	wǒmen	代	6
他	tā	代	2		五	wǔ	数	4
他们	tāmen	代	2		午饭	wǔfàn	名	10

X

她	tā	代	2					
台灯	táidēng	名	11		西边	xībian	名	11
太	tài	副	7		西红柿	xīhóngshì	名	12
汤	tāng	名	14		喜欢	xǐhuan	动	14
天	tiān	量	8					

下边	xiàbian	名	11	学校	xuéxiào	名	7
下课	xià kè		10	**Y**			
下午	xiàwǔ	名	8	呀	ya	助	14
先	xiān	副	15	颜色	yánsè	名	13
咸	xián	形	14	眼镜	yǎnjìng	名	11
现在	xiànzài	名	10	眼睛	yǎnjing	名	7
想	xiǎng	动	9	样	yàng	量	12
想	xiǎng	助动	13	样子	yàngzi	名	13
小	xiǎo	形/头	6	药店	yàodiàn	名	11
小姐	xiǎojiě	名	14	要	yào	助动/动	4
鞋	xié	名	11	爷爷	yéye	名	9
写	xiě	动	1	也	yě	副	2
谢谢	xièxie	动	1	一	yī	数	4
新	xīn	形	6	医生	yīshēng	名	9
新鲜	xīnxiān	形	12	医院	yīyuàn	名	5
星期	xīngqī	名	10	一共	yígòng	副	12
星期天	xīngqītiān		10	一下儿	yíxiàr	数量	6
（星期日）	(xīngqīrì)	名	10	以后	yǐhòu	名	14
行	xíng	动/形	10	一点儿	yìdiǎnr	数量	13
姓	xìng	动/名	8	一起	yìqǐ	副	8
兄弟	xiōngdì	名	9	一直	yìzhí	副	15
休息	xiūxi	动	8	银行	yínháng	名	5
学生	xuésheng	名	6	饮料	yǐnliào	名	14
学习	xuéxí	动	6	应该	yīnggāi	助动	15
				用	yòng	动	13
				邮局	yóujú	名	5

油	yóu	名	14	照片	zhàopiàn	名	11
有	yǒu	动	7	这	zhè	代	6
有点儿	yǒudiǎnr	副	13	这儿	zhèr	代	8
有时候	yǒu shíhou		8	真	zhēn	副	9
有意思	yǒu yìsi		14	真丝	zhēnsī	名	13
又……又……	yòu……yòu……		13	支	zhī	量	12
右边	yòubian	名	11	知道	zhīdào	动	5
鱼香肉丝	yúxiāng ròusī		14	职员	zhíyuán	名	9
雨伞	yǔsǎn	名	13	只	zhǐ	副	13
圆珠笔	yuánzhūbǐ	名	12	质量	zhìliàng	名	13
远	yuǎn	形	7	中间	zhōngjiān	名	11
月	yuè	名	10	种	zhǒng	量	13
Z				重	zhòng	形	15
再	zài	副	12	周末	zhōumò	名	15
再见	zàijiàn	动	1	住	zhù	动	8
在	zài	动/介	5	桌子	zhuōzi	名	11
咱们	zánmen	代	10	自行车	zìxíngchē	名	12
早饭	zǎofàn	名	10	字	zì	名	15
早上	zǎoshang	名	10	走	zǒu	动	15
怎么	zěnme	代	12	最	zuì	副	14
怎么样	zěnmeyàng	代	7	最近	zuìjìn	名	7
摘	zhāi	动	12	昨天	zuótiān	名	10
站	zhàn	名	15	左边	zuǒbian	名	11
张	zhāng	量	11	左右	zuǒyòu	名	13
找（钱）	zhǎo (qián)	动	12	坐	zuò	动	1

做	zuò	动	8

专 名		
百货大楼	Bǎihuò Dàlóu	15
保罗	Bǎoluó	6
北京语言大学	Běijīng Yǔyán Dàxué	8
长城	Chángchéng	5
大同	Dàtóng	15
德国	Déguó	6
法国	Fǎguó	6
故宫	Gùgōng	5
韩国	Hánguó	6
可口可乐	Kěkǒu-kělè	3

李英男	Lǐ Yīngnán	6
莉莉	Lìli	7
青岛	Qīngdǎo	12
四川	Sìchuān	14
天安门	Tiān'ānmén	5
王	Wáng	8
西蒙	Xīméng	6
小叶	Xiǎoyè	9
小雨	Xiǎoyǔ	8
颐和园	Yíhé Yuán	5
张	Zhāng	8
直美	Zhíměi	9
中国	Zhōngguó	7